天津市哲学社会科学规划一般项目（项目编号 TJZW18-013）研究成果

中华文化海外传播研究

主编　田　耀　王　蓓

图书在版编目(CIP)数据

中华文化海外传播研究 / 田耀，王蓓主编. 一天津：天津大学出版社，2021.5

天津市哲学社会科学规划一般项目（项目编号TJZW18-013）研究成果

ISBN 978-7-5618-6931-4

Ⅰ. ①中… Ⅱ. ①田… ②王… Ⅲ. ①中华文化—文化传播—研究 Ⅳ. ①G125

中国版本图书馆CIP数据核字（2021）第091559号

出版发行 天津大学出版社
地 址 天津市卫津路92号天津大学内（邮编:300072）
电 话 发行部:022-27403647
网 址 www.tjupress.com.cn
印 刷 廊坊市海涛印刷有限公司
经 销 全国各地新华书店
开 本 169mm×239mm
印 张 9.5
字 数 300千
版 次 2021年5月第1版
印 次 2021年5月第1次
定 价 32.00元

凡购本书，如有缺页、倒页、脱页等质量问题，烦请与我社发行部门联系调换

版权所有 侵权必究

天津市哲学社会科学规划一般项目（项目编目 TJZW18-013）研究成果

编 委 会

主　　编：田　耀　王　蓓

副 主 编：王鹏欧

参编人员：罗蓓蓓　范丽萍　王　楠　王　烨
王　珊　张玉新　李　辰　李明雪
田增润　李君敏　谢玲玲　何润涵
徐桂庆　郭　静　曹　祎　田卓妍
池　晶

前　言

对于普通百姓而言，“汉学”这一术语并不是人人都熟悉的，许多人片面地认为，中华文化特别是中国经典文学名著能够成功地传递到海外，与国内学者的努力密切相关。可见，普及汉学研究知识对于我们了解中国文化如何有效地传到西方社会是十分必要的。事实上，汉学家是专门从事汉学研究的专家。一般来说，汉学家是指不在中国从事研究的非中国人或海外华人。汉学家的具体研究领域可能不同，他们大多选择其感兴趣的领域进行专业研究，例如有人研究中国音乐，有人研究中国文学，但是汉学家都会或多或少研究一些中国历史。一般地汉学家除了进行汉学研究以外，还有另外一个专门的研究领域，他们会将这个研究领域和中国联系起来，最终这个领域就变成了汉学的研究领域。

当今中国的蓬勃发展使得越来越多的海外学者对中国文化产生了浓厚的兴趣，造就了一大批研究中国文学的汉学大家，他们针对自己的研究方向，经过刻苦努力，成功地将一大批中国文学作品译成英语（或其他语言），传递到西方社会，使之成为西方社会了解博大精深的中国文化的一个重要窗口。

汉学界对傅汉思有着很高评价。在其逝世时，耶鲁大学的讣告评价他“对中国文化、中国文学（特别是诗歌）以及汉语的研究为人所熟知”。

史景迁以研究中国历史见长。他以独特的视角观察悠久的中国历史，并以非同一般的“讲故事”的方式向读者介绍他的观察与研究结果。他的作品敏锐、深邃、独特而又“好看”，他在成为蜚声国际的汉学家的同时，也成为学术畅销书的写作高手。

葛浩文以翻译汉语文学闻名，在中国被誉为“西方首席汉语文学翻译家”，小说家厄普代克则将其称为中国当代文学的“接生婆”。1974 年，葛浩文完成了关于萧红的毕业论文，这篇毕业论文成为后来其所著的《萧红评传》的基础。葛浩文在中国台湾求学期间便试着翻译了黄春明、王祯和的作品，而他事业的高峰，则是翻译莫言的小说《红高粱》。莫言先生的作品获得诺贝尔文学奖，与美国汉学家葛浩文先生的成功翻译密切相关。因此，让读者深入了解美国汉学家在推动中华文化特别是中国经典文学名著在海外传播的研究成就，可以以更充分地利用汉学家的研究成果，在国际舞台上弘扬优秀的中华民族传统文化。

在5 000多年文明发展中孕育的中华民族优秀传统文化积淀着中华民族最深层的精神追求,代表着中华民族独特的精神标识。在这一良好态势下,党和国家领导人坚定不移地将树立中国文化自信放到重要位置。目前我国很多社会科学研究项目对西方汉学成就都有明确的选题。习主席多次在不同场合强调了中华文化的海外翻译的重要性。众所周知,当前越来越多的中国经典著作、优秀文学艺术成果被成功地传播到世界各地,为西方世界了解一个完整的中华文明打开了一扇窗。这其中有中国学者的不懈努力,更有西方汉学家的杰出贡献。本书根据天津市人文社会科学研究项目“汉学家及中国文化海外传播”撰写而成。

汉学家对中国文化的研究成果有利于中国文化在海外传播,能够将中国文化发扬光大,让世界更多地领略我国璀璨文化的独特魅力,让更多的中国民众为传统文化感到自豪。汉学家的研究成果也有利于向世界各国展现我国的文化自信,促进全世界更加深入了解中国的美丽风貌和深厚的文化沉淀。

我国在对外交流中向世界展现优秀深厚的中华文明传统和美好的国家形象意义深远。中华民族长期以来形成的以爱国主义为核心的团结统一、爱好和平、勤劳勇敢、自强不息的民族精神推动了各项事业的发展,我国优秀文化传统和高尚的思想道德品质孕育出的中华民族的文化自信不仅在本土发挥着积极作用,而且得到中外学者的热切关注和大力传播。

2020年7月1日

目录

梅维恒及其变文研究

摘要：梅维恒（Victor H. Mair）是美国著名汉学家、敦煌学家，精通多种语言，主要研究中国语言文学、中古史、敦煌学，人称"北美敦煌学第一人"，他对敦煌变文等俗文学进行了系统研究，成绩斐然，是国内外该领域最富影响力的汉学家。本文将集中介绍梅维恒的变文研究成果及其3部代表作品，即《敦煌通俗叙事文学作品》《绘画与表演：中国的看图讲故事和它的印度起源》和《唐代变文：佛教对中国白话小说及戏曲产生的贡献之研究》。

关键词：梅维恒；敦煌学；变文；变相；俗文学

一、梅维恒简介

梅维恒（Victor H. Mair），1943年出生，美国著名汉学家、敦煌学家，美国宾夕法尼亚大学亚洲及中东研究系教授、考古及人类学博物馆顾问。1967年梅维恒进入美国华盛顿大学学习印度佛经、中印佛教、藏文及梵文，后又留学英国伦敦大学亚非学院，学习梵文。随后，他进入哈佛大学东亚语言及文明系深造，于1976年获中国文学博士学位并留校任教。1979年，他转至宾夕法尼亚大学任教，同时兼任京都大学、香港大学、北京大学、四川大学等多所高校客座教授。梅维恒兴趣广泛，精通中文、日文、梵文等多个语种，研究内容丰富，其研究所涉及的领域包括中国语言文学、中古史及敦煌学等，他还在中国新疆塔克拉玛干沙漠进行考古研究，并发现了那里最早的文明遗址。他思路开阔，擅长从跨文化、跨学科的视角进行科学探索和研究，是美国从事古汉语翻译的重要人物。

梅维恒被认为是从事当代西方汉学研究的学者中最具开拓精神的学者，人称"北美敦煌学第一人"，主要著作有《敦煌通俗叙事文学作品》（*Tun-huang Popular Narratives*，1983）、《绘画与表演：中国的看图讲故事和它的印度起源》（*Painting and Performance: Chinese Picture Recitation and Its Indian Genesis*，1988）、《唐代变文：佛教对中国白话小说及戏曲产生的贡献之研究》（*T'ang Transformation Texts: a Study of the Buddhist Contribution to the Rise of Vernacular Fiction and Drama in China*，1989），这3部作品奠定了梅维恒在敦煌变文研究领域的重要地位。

除了变文研究领域外,梅维恒的多部著作,包括《哥伦比亚中国文学史》等,也在学术界受到广泛关注。

二、梅维恒的学术贡献

对梅维恒在变文领域的学术成就的认识,要从“变文”这个中国古代文学概念开始。1900年,甘肃敦煌莫高窟藏经洞被发现,大量敦煌遗书和写卷展现在世人面前,而对其中藏品的研究就形成了敦煌学。众多原始文献开始被学者们拿来进行研究,敦煌学由此兴起,成为国际学术界重要的研究领域,为中国古代丝绸之路文化研究提供了有力依据。由于当时西方探险家的劫掠,现在世界很多地方的博物馆中都存有一定数量的敦煌写卷。在这些珍贵的敦煌写卷当中,变文就是其中的重要组成部分,它是敦煌说唱故事类写本。敦煌变文对于中国民间俗文学的发展有着不可低估的作用,敦煌变文研究同时也是海外汉学研究的有机组成部分。

变文,简称“变”,也称“敦煌变文”,是唐代时期出现的通俗文学形式之一。当时有一种称为“转变”的说唱艺术,表演与图画相配合,图画为“变相”,而说唱故事的底本则为“变文”,变文基本以写本的形式留存于世。由于受到中国传统文学和佛教文学的双重影响,变文散韵相间、说唱结合,运用程式化的叙事结构,呈现出图文并茂的表现形态。形式上,变文有全部散文、全部韵文,但散韵相间这种形式则最为常见。

郑振铎先生曾在《中国俗文学史》中肯定了变文的重要文学价值,认为这种文体是古代文学与近代文学之间的桥梁,“在‘变文’没有发现以前,我们简直不知道‘平话’怎么会突然在宋代产生出来?‘诸宫调’的来历是怎样的?盛行于明、清二代的宝卷、弹词及鼓词,到底是近代的产物呢?还是‘古已有之’的?许多文学史上的重要问题,都成为疑案而难于有确定的回答”。正是在发现变文之后,这些问题才逐渐得以解决,可见变文在中国文学史上的作用巨大。

一般来说,变文大体分为讲述佛经故事、宣扬佛教经义的变本,以及讲述历史传说或民间故事的变本。梅维恒从现实文学体裁的视角对变文进行了分类定义,在他不同的分类当中,“本身有‘变’或者‘变文’标题的作品、具有和‘变’‘变文’作品相同特征的作品以及标题中有‘变’字样但本身不具有变文特征的作品”是可以利用的变文定义。据此,有不超过20种写本可归为变文。梅维恒的分类定义使得变文的界定范围更加明确化。

关于变文的来源,学界有两种观点,分别是“外来说”和“本土说”,各有侧重,但一方均未被另一方说服,于是出现第3种观点,即变文是古代中西结合的产物,变文中既有中国传统文化元素,又受到外来文化特别是汉译佛经的影响。梅维恒认为“变文便是这样一种文化交流的象征:它不单纯是印度的或中国的,而是印度文化和中国文化综合的产物”。变文在形式上的散韵结合,使其兼具叙事与抒情的功能。

转变表演,也即变文表演,是口头完成的,因此,梅维恒是从“看图讲故事”的视角对此进行研究的。借助“变相”,听众的感官体验得到加强,梅维恒在其作品中就对其起源进行了探讨。以变文为时间线索的语言文学艺术和以变相为空间效果的视觉艺术相互配合,造就了民间喜闻乐见的表演形式。

三、梅维恒著作介绍

(一)《敦煌通俗叙事文学作品》

1973年,梅维恒对敦煌变文产生了极大的研究兴趣。1976年,梅维恒完成了对《伍子胥变文》《降魔变文》《目连变文》《张义潮变文》的译注,并凭此获得了博士学位。1983年,英国剑桥大学出版社出版了《敦煌通俗叙事文学作品》(*Tun-huang Popular Narratives*)一书。该书对这类文学作品进行了深入研究,有助于理解变文在文学史上的特殊地位和作用。这也是梅维恒的第一本专著,显现出他广阔的学术视野与见识,在敦煌学界和汉学研究范围内均有着重要作用,为敦煌通俗叙事文学研究作出了重要贡献。

《伍子胥变文》讲述的是春秋时期楚国人伍子胥的故事,其父因向荒淫无道的楚王进谏导致入狱,随后伍子胥的父兄被杀,伍子胥历经艰险逃亡至吴国,辅佐吴王,以报深仇,后也因直谏被吴王所杀。《降魔变文》来源于佛经故事,写释迦牟尼在成佛之际,引起魔王波旬的恐慌,后用武力威胁、用美女引诱,但释迦牟尼不为所动,最终将魔王降服。《目连变文》又称《大目乾连冥间救母变文》,讲述了佛教弟子目连修成正果后,知悉其母青提夫人已入地狱,于是在地狱中寻找,最终在如来帮助下救出自己母亲的故事。《张义潮变文》原本无题,题名为后人所加,反映了当时的现实生活。其讲述了唐大中时,归义军节度使张义潮率军击败作乱的吐浑王,征讨吐浑、回鹘,并助唐使者夺回被劫去的国书的故事。

(二)《绘画与表演:中国的看图讲故事和它的印度起源》

《绘画与表演:中国的看图讲故事和它的印度起源》(*Painting and*

Performance: *Chinese Picture Recitation and Its Indian Genesis*)出版于 1988 年,在该著作中,梅维恒分析了中国俗文学变文的印度渊源,介绍了中国、印度和世界其他地区的讲唱活动。全书共分为 6 个部分,包含导论以及 5 个章节的内容,5 个章节分别为古代印度的看图讲故事、看图讲唱通过中亚的传播、印度尼西亚相似的东西、近现代印度的看图讲故事、世界各地的看图讲故事。

该著作围绕"看图讲故事"这一活动,提出变文的产生和发展并不是在中国本土自行发展起来的,它向前可追溯至古印度,随后在亚洲国家广泛传播。例如提起印度尼西亚,大家都知道"瓦扬",这是对这种歌舞戏剧表演的统称,其中"瓦扬·贝贝尔"就是印度"看图讲故事"形式的直接延续。对各种形式的看图讲故事的追溯都能寻觅到印度的影子,因此形成了印度是世界范围内看图讲故事的发源地的研究成果。

具体来讲,梅维恒以变文的宗教源头为线索,对印度、印度尼西亚、日本等众多国家进行说唱资料的考证和搜集,然后提出假设,认为中亚地区是传播的中介,从而勾勒出"看图讲故事"的传播过程和走向。就中国来说,印度的这种表演形式,通过中亚,沿着中国新疆地区、河西走廊传进了中国,在敦煌莫高窟的藏经洞中发现的敦煌遗书即被认为是对印度变文的继承和发展。

梅维恒在该著作中强调了在重视变文文本的同时,也要对变相进行思考。这种由静到动的思维方式,为变文的研究提供了新的研究方向,开启了变文研究的新格局。季羡林先生对他的研究高度称赞,认为他"知识面极广,理解力极强,幻想极丰富,综合能力极超妙"。正是梅维恒宏大的视野,使得学术界能从新的视角来看待敦煌学、看待丝绸之路文化。

(三)《唐代变文:佛教对中国白话小说及戏曲产生的贡献之研究》

《唐代变文:佛教对中国白话小说及戏曲产生的贡献之研究》(*T'ang Transformation Texts*: *a Study of the Buddhist Contribution to the Rise of Vernacular Fiction and Drama in China*)于 1989 年由哈佛大学出版社出版,其展示了梅维恒的变文研究成果,反映了他的变文研究思想和观点。该著作是一部专业性很强的综合性著作,在梅维恒的研究体系中,处于承上启下的位置。梅维恒的研究在近些年来也逐步得到认可和接受。

该著作主体部分包括 6 章:敦煌与写本,变文与有关类型的范围,术语"变文"的含义,变文的形式、格式与特征,表演者、书写者、抄手,变文表演存在的证据。梅维恒在此书中依旧遵循法国的汉学研究传统,将汉学纳入中外文化交流的规域进行思考，将中国作为研究的出发点，却并没有将此作为研究的局限，也即“‘汉学’不再是‘中国学’”，汉学已然成为以汉字为主要文化载体的、关于亚洲国家的学问和研究内容。除此之外，该著作突破了文学的范畴，提出了“变文表演”存在的证据，将变文的研究推广到“民间文艺”的领域，其认为变文表演使叙事与民间娱乐融合在一起，使“看图讲故事”在民间受到欢迎，这对于敦煌变文的研究具有非常重大的意义，为中国古代文学的研究提供了新的研究方向和思路，亦拓展出新的研究视角。

四、结语

梅维恒研究敦煌变文 20 年，出版了《敦煌通俗叙事文学作品》《绘画与表演：中国的看图讲故事和它的印度起源》《唐代变文：佛教对中国白话小说及戏曲产生的贡献之研究》3 部专著，发表了多篇论文，是海外汉学界敦煌学研究的领军人物，他的研究成果有助于中国学者从另外一个视角来探索敦煌变文研究，从而为中外学术和文化传播搭建良好互动的平台，促进了中外文化和学术交流。

参考文献

[1] 颜建良. 敦煌变文文体研究 [D]. 扬州：扬州大学，2018.

[2] 郑振铎. 中国俗文学史 [M]. 上海：上海人民出版社，2006.

[3] 潘晟. 美国汉学家梅维恒的变文研究 [D]. 上海：华东师范大学，2006.

[4] 梅维恒. 唐代变文：佛教对中国白话小说及戏曲产生的贡献之研究 [M]. 杨继东，陈引驰，译. 上海：中西书局，2011.

[5] 孟令法. 跨文化视野中的“看图讲故事”研究：梅维恒《绘画与表演》读后记及其论题意义 [J]. 贵州民族大学学报（哲学社会科学版），2016（1）：194-205.

[6] 梅维恒. 绘画与表演——中国的看图讲故事和它的印度起源 [M]. 王邦维，荣新江，钱文忠，译. 北京：北京燕山出版社，2000.

[7] 钱文忠. 俗文学·民间文艺·文化交流——读美国梅维恒教授的三部近著 [J]. 读书，1990（8）：104-111.

比尔·波特的文化中国之旅

摘要:比尔·波特(Bill Porter)是美国当代著名作家、翻译家、汉学家。比尔·波特怀揣着对中华传统文化的兴趣与热爱,在中国进行过多次文化旅行,撰写了多部介绍中国历史与风土人情的著作,同时也翻译了多部中国的古诗与佛学经典著作,本文将对《空谷幽兰》《禅的行囊》《黄河之旅》《丝绸之路》《彩云之南》这5部作品进行介绍,分析其人文价值与意义。

关键词:《空谷幽兰》;《禅的行囊》;《黄河之旅》;《丝绸之路》;《彩云之南》

一、比尔·波特简介

比尔·波特(Bill Porter),美国当代著名作家、翻译家、汉学家。比尔波特1943年出生于美国, 1970年进入美国哥伦比亚大学攻读人类学博士学位,因偶然的机会开始学习中文,自此与中国文化结下了不解之缘。1972年,比尔·波特去了中国台湾地区,在一座寺庙中开始了他的隐居修行生活。3年后,比尔·波特结束寺庙生活,隐居在阳明山。1991年,他进入中国香港地区一家广播电台工作,并长期在中国内地旅行。比尔·波特撰写了很多介绍中国风土人情的著作和游记,以"赤松"(Red Pine)的笔名翻译过很多佛学经典著作(如《楞伽经》《菩提达摩禅法》)和诗集(如《寒山诗集》《石屋山居诗集》),一度在欧美国家掀起中国传统文化的学习热潮。比尔·波特后来将自己在中国旅行的所见所闻,撰写成《空谷幽兰》(*Road to Heaven*)、《禅的行囊》(*Zen Baggage*)、《黄河之旅》(*Yellow River Odyssey*)、《丝绸之路》(*The Silk Road*)、《彩云之南》(*South of the Clouds*)等作品。

二、《空谷幽兰》寻访中国现代隐士

《空谷幽兰》(*Road to Heaven*)是一部介绍中国隐士文化传统的著作,全书共12章,其源于1989年比尔·波特和其摄影师好友史蒂芬·约翰逊的终南山隐士寻访之旅。比尔·波特开始了解中国的隐士传统是在1972年。在3年后的山村隐居生活中,他开始着手翻译一些中国古代隐士的著作,这些古代隐士分别是寒山、拾得、丰干、石屋和菩提达摩。1989 年，在好友的帮助下，比尔·波特与史蒂芬开启了他们的隐士寻访旅行。

书中记录了隐居在终南山等地的中国隐士的生存和修行经历。这些隐士多居住在僻静偏远的山上，修行生活往往较为艰苦和单调，但他们的意志却十分坚定。比尔·波特在书中写道：“道教徒和佛教徒寻求的是不变的东西。这就是他们不追名逐利的原因。”小隐隐于野，中隐隐于市，在这个物欲横流的世界里，如何能像隐士一样具有宁静致远、返璞归真的智慧，更多的是人们的心态在起作用，能否看淡与放下，能否看破与不争是现代人能否快乐的关键所在。对于人们来说，应时常给自己一点空间，适时与自己独处，让身心处在放松的状态，思考生活的意义。世间万物，虽有不同，但终归相同，纠结与徘徊、迷茫与彷徨，终会让人在精神世界里迷失，从而走向心灵的深渊。心远地自偏，隐士文化的精髓，归根结底在于修心，在于对精神世界的追求。比尔·波特用自己的足迹和文字提醒着人们，唯有清心寡欲的历练，方能带给自己和他人心灵上的慰藉。

三、《禅的行囊》带你追寻中国禅的前世今生

2006 年的春天，比尔·波特开始了他的朝圣之旅，这一次他探访的是禅在中国的发源地，最重要的是禅宗 6 位祖师所开创的道场，这 6 位祖师分别是初祖达摩、二祖慧可、三祖僧璨、四祖道信、五祖弘忍、六祖惠能，这 6 位高僧建立起了禅宗的历史地位。朝圣之旅从北京开始，比尔·波特一路向南穿越半个中国，追溯了禅宗祖师的修行及游历经历。这个过程，既是比尔·波特朝圣的过程，也是他努力思考人生意义的过程。他与禅宗祖师之间的交流，其实也是读者与禅宗祖师之间的交流。

《禅的行囊》全书共 16 个章节：不立文字；不见如来；无山；无家；无始；无相；无心；不作，不食；无镜亦无尘；不得闲；不见桃源；不辨东西；不分南北；不死；无终；不归路。单从章节标题即可看出比尔·波特对禅宗思想和文化的深刻理解与感悟。

对于禅宗的修行者来说，他们会先跟随师父学习，之后若想发展自己的法门，会选择到山中进行修行，当然选择远离尘嚣的环境亦可，但是入山修行往往是禅宗修行的第一选择。“入山的根本目的是隐居独处”“目的都不是抛弃其他人，而是通过隐居修行来获得救助他人的方法和能力——自助，而后能助人”。在尘嚣之外进行修行，就是修心和反思。比尔·波特说：“我们每个人都从自己生命的起

点一路跋涉而来,途中难免患得患失,背上的行囊也一日重似一日,令我们无法看清前面的方向。在这场漫长的旅行之中,有些包袱一念之间便可放下,有些则或许已背负经年,更有些竟令人终其一生无法割舍。但所有这些,都不过是我们自己捏造出来的幻象罢了。”放下物欲,放下执念,摒弃得失之心,驱除烦恼的根源,以积极的心态去面对生活才是禅宗修行的意义之所在。

四、《黄河之旅》追溯五千年黄河文明

《黄河之旅》(*Yellow River Odyssey*)全书共23个章节,它源于比尔·波特1991年春天的黄河源头探访之旅。他从黄河入海口的东营出发,途径济南、开封、郑州、洛阳、韩城、包头、银川、兰州、西宁等多个城市,最终于当年5月25日到达了约古宗列盆地的黄河源头牛头碑,历时2个多月,走访了黄河流域的历史遗迹,描述了黄河沿岸的文化传说,向人们展示了宏大中华文明的源头。

比尔·波特在后来讲述本书的完成过程时说,“在那些日子里,我一个人行走在黄河两岸,行走在中华文明的腹地。黄河水奔流不息,五千年的中华文明绵延不绝。如果黄河水断流了,中华文明也就危险了。幸好黄河水过去奔流不息,现在仍然奔流不息……在这条河边,中国人形成了同一个国家同一个民族的心理和情感。”

比尔·波特成为西方第一位成功到达黄河源头的作家,行程五千多公里,他克服了旅途劳顿和高原反应,完成了一个伟大而又艰辛的旅程,记录下的不仅仅是他的行走过程,更是一位对中华文明有着极大兴趣和热忱的外国友人对绵延五千年的中华文明的追寻。他游历名山大川,惊叹于其中所蕴含的风土人情和历史变迁,他到过喧嚣的都市,也到过宁静的庙宇,看到了黄河入海口的滩涂,泰山、嵩山的山峰,蔚为壮观的壶口瀑布,还有望不到尽头的沙漠以及约古宗列盆地,这些都承载着黄河流域的自然与历史、古今与变迁,生生不息、极富厚重感的中华文明在这些人文与自然的积淀中得以流传。

行走在黄河沿岸的比尔·波特在提醒着人们,应当停下眼前的脚步,回望脉络清晰的历史轨迹,人们还有引以为傲的文化传统值得去珍惜,值得人们静下心来去回味。这是比尔·波特的黄河之旅,更应该是中华儿女自己去追随的黄河之旅。

五、《丝绸之路》追溯中华文明史上的辉煌篇章

《丝绸之路》(*The Silk Road*)全书共分为22章,它源于比尔·波特和朋友芬恩

的丝绸之路之旅。1992年,比尔·波特和朋友从史学界通常认为的丝绸之路最东端——西安启程,途径天水、兰州、吐鲁番等地,从喀什出境,横穿整个中亚,到达巴基斯坦境内的伊斯兰堡,这是一场领略丝绸之路魅力的旅行。《丝绸之路》不是阳春白雪般经文式的叙述,比尔·波特将自身优秀的人文涵养融到向前行进的路途中并以讲述旅途经历的形式娓娓道来,对历史的回溯与旅程并肩而行,这种文化行者的行文方式更易于让大众接受。

在比尔·波特的描绘中,丝绸之路沿线的景象犹如一幅幅画卷在他的描述中不断展现在人们的面前。他们穿过秦始皇陵,观看过佛教洞窟中的画像,也走进了沙漠,品尝了葡萄。长城、古道和牵动人心的神话传说,都在他的文字中一一呈现。比尔·波特踏着张骞、霍去病和玄奘等人的足迹,穿越时空,在这东西方文明交会的地方,带领着人们重温丝绸之路的壮美与庄重,体悟历史的沧桑与轮回。

丝绸之路在人类发展史上发挥着重要作用。丝绸之路将"中国的四大发明、养蚕丝织技术,以及丝绸、茶叶、瓷器等传送到了世界各地;同时,还把中亚的汗血马、葡萄,印度的佛教、音乐,西亚的乐器、天文学,美洲的棉花、烟草等传入中国",历史古老而又神秘的面纱就在比尔·波特的笔下被徐徐揭开。他勇于冒险,不畏艰辛与劳顿,他以一个西方人的视角完成了对丝绸之路文明的审视和探求,历史在他的一个个脚印中变得清晰可见。

六、《彩云之南》探秘中国西南边陲的神秘之地

《彩云之南》(*South of the Clouds*)全书共27章,旅行发生在1992年,比尔·波特从中国香港地区出发,经过广西、贵州,最后到达云南。全书图文并茂,介绍的是生活在中国西南地区的壮族、瑶族、侗族、苗族、布依族、傣族、基诺族等少数民族的风土人情、饮食文化和民族习俗。

比尔·波特在旅途中,领略了风景如画的自然风光,坐游船、喝炒茶、参加婚宴,看黄果树瀑布、爬石阶游金马山、观大理三塔、了解三月街,比较了不同民俗服饰的差异。 比尔·波特笔下的云南少数民族群众生活设施简单、生活方式简朴,"通过与主人面对面的交谈和对他们实际生活的体验,以及听他们讲述本民族的历史神话传说,深层次地了解这些民族的饮食起居、历史文化与民族风情"。

比尔·波特以生动、幽默的语言记录了自己"彩云之南"旅程中的所见所闻,这不是为了旅行而完成的旅行,可以说,这个过程更多的是一种文化探索,探索的是中国西南边陲地区少数民族鲜为人知的故事。书中细节记录细腻,读起来完全

令读者有身临其境之感,读者会感到亲切而又新鲜,讲述过程贯穿古今,将传统与历史融合在脚下行走的每一步之中,为人们展现的是中国西南人民所独有的民族信仰。就像比尔·波特所说,“这次旅行很不寻常。花一辈子的时间也只能探访中国西南一小部分的美景和神秘”。

七、结语

比尔·波特对于中国文化的探索始于足下,实地考察了中国的少数民族生活和文化圣地,他在所出版的 20 余部书中不仅记录了中国广阔土地上的风土人情、风景名胜,更通过描述神奇丰富的中国传统文化向西方世界展示了博大精深的中国文化之一隅,以亲身见闻和美丽生动的文字向世界完整地呈现出中华民族在传统文化和现代化思想的双重影响下如何保持生态文化和传统文化的延续的过程。

参考文献

[1] 比尔·波特. 空谷幽兰 [M]. 明洁,译. 成都:四川文艺出版社,2018.
[2] 比尔·波特. 禅的行囊 [M]. 叶南,译. 成都:四川文艺出版社,2018.
[3] 比尔·波特. 黄河之旅 [M]. 曾少立,译. 成都:四川文艺出版社,2018.
[4] 比尔·波特. 丝绸之路 [M]. 马宏伟,吕长清,译. 成都:四川文艺出版社,2018.
[5] 比尔·波特. 彩云之南 [M]. 马宏伟,吕长清,译. 成都:四川文艺出版社,2018.

汉学家包华石与其“画中之话”

摘要:包华石(Martin J. Powers)是著名汉学家和美术史家,他从分析古代中国社会的画像石、装饰的风格特点出发,运用社会学方法探索艺术与公众之间的关系、艺术与观看者之间的关系,重点体现了艺术与政治相结合的研究思想。本文详细阐述了艺术与公众理论的观点及内涵,并通过“图解模式与社会规范”的延伸研究,认为“图解模式”可以理解为社会文化的“范式”,将根植于技艺制作的原初设计视为组成视觉形式的模型和模式,搭建起沟通艺术史和社会学的桥梁。

关键词:包华石;艺术与公众;图解范式

一、包华石简介

包华石(Martin J. Powers),美国密歇根大学(University of Michigan)教授,著名汉学家和美术史家,1978年获芝加哥大学博士学位,曾任职于洛杉矶加州大学,1987年起在密歇根大学任教,曾获密歇根大学教职成就奖、密歇根研究学会资深学者奖、列文森图书奖(*Joseph Levenson Book Prize*)(1991年度有关“20世纪前的中国”的最佳著作奖)、密歇根大学人文奖、洛杉矶加州大学李氏演讲奖等。包华石被清华大学聘为“清华大学伟伦特聘访问教授”,在欧美汉学界有较大影响。他关于中国和中国文化近代以来在欧洲的传播和影响的研究与教学颇具特色,对于理解中外文化交流的历史与影响具有重要的学术意义。主要著作有《早期中国的艺术与政治表达》(*Art and Political Expression in Early China*)、《图式与个人:古代中国的装饰、社会与自我》(*Pattern and Person: Ornament, Society, and Self in Classical China*)等,曾在清华大学、北京大学、浙江大学讲学,用中文在《读书》等发表文章和论文,并与蒋人和博士合作编撰了《Blackwell中国艺术指南》。2018年12月,他出版了著作*China and England: the Preindustrial Struggle for Justice in Word and Image*,该书介绍了17、18世纪的英国人对中国汉宋时期代表性诏书、奏章等的翻译,英国人从而阐释、接受和运用了“分权制衡”“举贤任能”“郡县制”等先进的中国政治制度,并促进了英国社会制度从贵族统治向议会民主制的转变。

二、“画中之话”之画像石研究与《早期中国的艺术与政治表达》

包华石的画像石研究成果主要集中体现在他的《早期中国的艺术与政治表达》一书中。在开始其艺术与政治的探讨之前,包华石教授经历了一番曲折:20世纪80年代初期,出版社编辑对他文章中的观点即汉代艺术与政治有关提出了严肃质疑;而10年后,他的这本著作被亚洲研究协会评为20世纪前最优秀的著作,并荣获列文森奖(*Joseph Levenson Prize*)。该书对主题与风格、汉代公众及其对贵族趣味的判断、画像石以及市场、古典传统的墓葬及其市场以及趣味的冲突等问题进行了深入研究。

(一)汉代艺术充当政治表达媒介——话语

包华石对汉代画像石的研究体现了艺术与政治相结合的研究思想。在研究汉代画像石的风格与集团利益之间的关系时,包华石先生引用了语言学中的一个术语——话语(discourse),即在艺术批评领域,话语的作用相当于语境(context),但二者略有不同。语境侧重于上下文,强调历史背景及情景分析,而话语则强调与社会体系之间的关系,更侧重于内部情境和细节。包华石一度强调,“话语”之所以能成为艺术史分析的工具,是因为它跨越了不同的交流媒介。在某些情况下,公众能以话语方式形成意见和意愿,公众可以利用有代表性的事物及话语来表达自己所处阶层或集团的利益。由此,包华石先生得到一个结论,东汉学者改变的是艺术中物质标准和道德标准的话语基础,他们并不否认奢华的装饰风格,否认的是话语所暗含的财富集中的社会价值。

具体来说,汉代艺术开启了后世艺术多元化的表达。从历史研究方法的角度来看,有的学者认为汉代画像的内容主要反映了当时的“思想”,而且一个时代的思想往往只是为了维护统治阶级尤其是皇帝的利益和权威。例如,很多学者认为武梁祠画像石只反映东汉统治者的思想系统,但是包华石先生却不太同意。他认为,在汉代,朝廷所出的艺术品在相当大的程度上是为了维护朝廷的权威,目的是宣传关于朝廷或宦官的正面信息,但是地方艺术却不一定,因为雇主是地方社会上有影响力的人,画像石是他们自己出钱制作的,所以制作的这些画像石必然对他们有好处。

所以,从汉代开始,一些学者大夫开始构思绘事,内容多取材于经典故事。包华石先生认为这些士大夫阶层学者对绘画事宜的参与实际上促进了汉代部分绘画风貌的形成,因此可以说汉代艺术充当了政治表达的媒介。

(二)艺术与公众理论

包华石的研究表明,在公元2世纪,艺术、经典与公众舆论有一个充分化合的过程。包华石先生举了《后汉书》中的一个例子,“永兴元年(公元153年)……有宦者赵忠丧父,归葬安平,僭为璵璠、玉匣、偶人。穆闻之,下郡案验。吏畏其严明,遂发墓剖棺,陈尸出之,而收其家属”。讲的是宦官赵忠斥巨资为去世的父亲建造奢华的墓葬,以凸显自己和父亲的地位,而冀州刺史朱穆厌恶宦官不遵循法度及他们对学者的迫害,以建造奢华墓葬为由将赵忠治罪。

正如包华石先生所言:“虽然赵忠没有向当地公众分发描述墓葬内部设施及图像的册子,但是当地每个人都了解那里的奢华,这充分体现出有机会观看该墓室的人的意见及传播这些意见途径的畅通。”由此可以看出汉代艺术的公众本质和功能。包华石先生在《早期中国的艺术与政治表达》一书中,详细阐述了其艺术与公众理论:

……我们可以把艺术及公众的研究与对一个花园的研究相比,因为这种类型的研究经常设法去理解为什么某些倾向更多地留存在历史记载中,而另一些倾向却显得很微弱。与其说这种转换机制像一个向量,不如说它像一个过滤器。

在上述表述中,留存下来的图像记载指的是公众群体的艺术意志或意识,那么公众群体意志或意识的强弱取决于公众群体在当时历史环境中力量的强弱。因此,包华石先生既是一位艺术史家,又是一位冷静而敏锐的思考者。经过对汉代史料和图像的深入探讨与印证,他得出汉代山东一带的儒家学者把视觉艺术作为表达自身观点和政治性工具的结论,初步揭开了汉代艺术品与公众之间的面纱。

三、“画中之话”之《图式与个人:古代中国的装饰、社会与自我》

(一)书中内容提要

《图式与个人:古代中国的装饰、社会与自我》(*Pattern and Person: Ornament, Society, and Self in Classical China*)一书从某种意义上讲,是《早期中国的艺术与政治表达》(*Art and Political Expression in Early China*)的延伸。本书关注的时期为先秦,以装饰图像为研究对象,主要探讨装饰构成与社会规范之间的关系。该书共分14章,前有导论、后有结语。其中导论部分开宗明义地将中国装饰艺术中的“图解模式与社会规范”之间的关系作为探索的对象，并作了详尽的解释。他认为工匠赋予物质材料以形式，并将“图解模式”作为社会文化的“范式”来解读，将根植于技艺制作的原初设计视为组成视觉形式的模型和模式，搭建起沟通艺术史和社会学的桥梁。同时，导论部分采用方法论形式的讨论，从社会艺术史的角度探讨艺术与个性的问题，结合中国的思想观念及具体视觉材料，展现了先秦时期社会制度的转型，社会结构由公而私的转化以及青铜器装饰纹样的根本性变化等。

该书的目的并非是创造一种文化的定义，仅仅是考察有意义的文献和观念，扩展人们对物质文化的认知维度，享受上下求索的过程，着重表现在对青铜器斛风格的探讨，复杂纹饰组合的差别、法度等与技艺、理论等的关联等方面，以各种实例体现出不同器物的社会学意义，并评述了巴赫霍夫以及罗越对于中国青铜器的研究，并借用他人观点表达装饰的规则和范式也传达着抽象意义的观念，进一步引申出艺术风格与社会地位之间的关系问题；同样，在表现技艺时，针对工匠的社会身份进行了广泛考察，指出工匠在技艺制作过程中受到从政治体制到社会文化的限制，并以此向国家传达他们的意志，存在百工进谏、献艺的情况。该书通过探讨先秦思想中的水流、无形、道运作于万物等概念，分析了汉代漆器上的构图，区分了背景与图像，将装饰艺术与社会的思想联系在一起，并以弗利尔所收藏的战国时期青铜镜上的纹饰为例阐述了风格要素的变形问题，对于铜镜上的云雷纹和龙纹，二者以对方的形象变形，并进行了风格要素分析。并通过分析马王堆漆棺上的云气图，引入先秦哲学中关于道、气的讨论，以图像的阴刻还是阳刻的不同来阐释背后的制作意图，以个人的身份和占有的财产为出发点，考察在对待个人与天下财产问题上，在公私之别、仁义礼仪之别等不同情形下的文化反映。

（二）核心概念——图解范式

包华石先生在该书的开篇便提出以中国装饰艺术中的“图解模式与社会规范”之间的关系为研究对象，并对此作了充分的阐述，认为工匠赋予物质材料以形式。因此“图解模式”可以理解为社会文化的“范式”，即 paradigms。

“范式”一词来源于托马斯·库恩（Thomas Kuhn）在《科学革命的结构》（*The Structure of Scientific Revolution*）中提出的概念，即每一个科学发展阶段都有特殊的内在结构，而体现这种结构的模型就叫作“范式”。但是包华石先生赋予“范式”以文化史的意义，可将其视为组成视觉形式的模型和模式，因此可以说“范式”是沟通艺术史和社会学的桥梁。

举例来说，在该书第 8 章“装饰与身份”中，包华石先生以战国时期青铜镜上的纹饰为例详细阐述了风格要素的变形问题。对于青铜镜上龙的形象，部分学者认为“龙”主要是增加神秘性的装饰要素，但是包华石先生却坚持认为，青铜镜上龙的形象与云雷纹相似，二者以对方的形象变形，谈到具体是哪一个形象，包华石先生认为应该取决于观看者。包华石先生认为，在这段时期内，变形的风格体现了复合式的特点，由许多模件化的要素组合而成并且相互影响。因此可以说，这一图解模式即“范式”是社会问题的产物，模件化的风格也可以体现社会关系。再加上自古以来以龙视为君子的隐喻，“图解范式”在这里就具有了文化史的意义。

四、结语

包华石作为艺术与公众理论的提出者及践行者，通过更深层次的研究，利用所谓“话中之话”，对“图解范式与社会规范”之间的关系进行了深刻探索。他运用了一种集赞助理论、艺术与公众理论、艺术与政治理论于一体的社会学方法来探索艺术与公众之间的关系、艺术与观看者之间的关系。他通过讨论和论述“风格”，对机构要素不断地反复阐述，以内在的连贯性揭示一系列逻辑运作程序，还通过大量援引人类学、社会学、心理学等理论，重新检验了我们对早期中国艺术思考、写作的方式，并在现代批评理论的影响下，揭示出艺术的社会、文化和历史意义。

参考文献

[1] 王菡薇. 艺术与公众——从包华石先生的汉代画像石研究谈起 [J]. 新美术，2006(3)：85-90.

[2] 王菡薇. 艺术的政治含义——试析包华石(Martin J. Powers)教授对汉代画像石艺术的政治理解 [J]. 美术，2007(4)：104-105.

[3] 吴燕武. 风格 = 思想?——评包华石《模式与个人：古典中国的装饰、社会与自我》[J]. 美苑，2014(3)：66-70.

[4] 杨晓能. 另一种古史：青铜器纹饰、图形文字与图像铭文的解读 [M]. 唐际根，孙亚冰，译. 北京：生活·读书·新知三联书店，2008.

浦安迪——叙事传统之重塑

摘要：美国学者浦安迪（Andrew H. Plaks）在中国古典小说研究方面颇有建树。他从中西比较文学出发，以现代西方叙事学为参照，以中国传统小说评点为依据，探讨中国古典小说的叙事方式，从而提出了以“奇书文体”为核心的中国叙事文学传统。通过研究奇书文体的结构，浦安迪发现中国古典小说采用的是“主结构＋次结构”的结构形式，从而纠正了某些西方汉学家所认为的中国古典小说缺乏完整性、艺术性的说法。同时，他也提出了文人小说理论，这一理论对以胡适、鲁迅、郑振铎等人为代表的并已经被中国文学界普遍认可的“通俗文学”观点提出了质疑。他的这些理论在《中国叙事学》（*Chinese Narratology*）一书中都有所体现。可以说，浦安迪的研究对中国叙事学的发展，不仅具有理论价值，更有研究方法的启示。

关键词：浦安迪；古典小说；中国叙事学；奇书文体；文人小说

一、浦安迪简介

浦安迪（Andrew H. Plaks），1945年出生于美国纽约，1973年获普林斯顿大学博士学位，现任普林斯顿大学东亚系和比较文学系教授、以色列希伯来大学东亚系教授。他通晓十几种语言，尤其精通汉语、日语、俄语、法语、希伯来语；他的研究领域十分广泛，如中国古典小说、叙事学、中国传统思想文化、中西文学文化比较等。其代表作品有《〈红楼梦〉的原型和寓意》（*Archetype and Allegory in the Dream of the Red Chamber*）、《中国叙事文：批评与理论文汇》（*Chinese Narrative: Critical and Theoretical Essays*）、《明代小说四大奇书》（*The Four Masterworks of the Ming Novel*）等。浦安迪教授在研究之余，多年致力于中国经典著作的翻译工作，曾把《大学》和《中庸》翻译成英文和希伯来文，目前正和同事一起把《红楼梦》翻译成希伯来文，并主持美国华盛顿大学出版社中国经典著作的翻译项目。

二、中国叙事学的发展轨迹

当代学者杨义认为："'叙事'这个词早在先秦时就出现了。"中国古代的某些抒情文学中就含有叙事成分，诗史便可作为例证之一，但真正成熟的叙事艺术，如史诗式的长篇叙事文学，则出现得很晚。事实上，中国早期的叙事传统是以更加理性、更加实用的"史"的形式发展的，而以想象和虚构为主的叙事文学的发展则比较滞后。

现代"叙事学"作为一门学科，其发展的历史仅有几十年。1969年，法国文艺理论家茨维坦·托多洛夫在《〈十日谈〉语法》中写道："这部著作属于一门尚未存在的科学，我们暂且将这门科学取名为叙事学，即关于叙事作品的科学。"这是对"叙事学"的最早定义。如果从提出这个术语算起，至今也只有大半个世纪，所以叙事学算是一门比较新的科学，但它在文学理论界的影响非常大，甚至成为当代西方十分重要的文学理论。

中国的叙事经历了从诗歌到叙事的漫长的转化过程。在明清以前，执掌中国文坛的大多是诗人，小说家想要从诗歌的重重包围中突围出来是非常困难的。而且长期以来，许多文学评论家都比较注重诗歌的研究和评点，很少关注小说的评点。中国文学理论界直至改革开放后才重视起文学的研究，这为西方叙事学的相关理论的引进和发展创造了环境。20世纪80至90年代，国内涌现出一批叙事学方面的著作，同时西方的一些重要叙事著作也不断地被译介到中国，继而形成了国内叙事学研究的一个高潮。

"叙事学的基本兴趣在于探讨一个故事是如何被叙述组织成统一的情节结构的"，故事的讲述方式比故事本身更为重要。这些理论在20世纪80年代才逐渐被引入国内，因此中国开始叙事学研究的时间非常短，而且对中国古典小说进行叙事研究的并不是中国人，而是一些对中国古典小说十分感兴趣的海外学者。这些海外汉学者具有西方的文化背景，他们从西方叙事理论的角度来分析和研究中国古典小说的叙事艺术，其中最为著名的两位是韩南和浦安迪。美国汉学家韩南教授的专著《中国白话小说史》，是最早运用叙事理论研究中国古代小说的专著，但叙事学理论只是他整部书的研究方法之一，因此该研究还不是纯粹地以叙事学的眼光对中国古代小说所作的系统研究。浦安迪是研究中国古典小说比较成功的另一位海外汉学家。1989年浦安迪教授应乐黛云教授邀请，为北京大学中文系和比较文学研究所的青年教师和研究生们开设了一门课程，题为"中国古典文学与叙事文学理论”。该课程的讲义汇总——《中国叙事学》,在世界文学的范围内对中国的叙事传统进行了考究,对中国叙事文学中的神话和原型以及中国古典长篇小说的结构、修辞等作了细致的分析。

三、浦安迪对中国叙事文学传统的重塑

在鲁迅的《中国小说史略》、胡适的《白话文学史》等现代学术名著的影响下,学术界普遍认为明清长篇章回小说脱胎于宋元的白话通俗文学,而浦安迪却认为明清长篇章回小说源于史传文学。在此基础上,以“奇书文体”为中心的中国叙事文学的发展脉络得以重建,即“神话—史文—明清奇书文体”。换言之,浦安迪从中西比较文学的角度出发,借助全新的西方叙事理论,重新定义了中国叙事文学的发展轨迹。

关于中国古典长篇章回小说的结构,西方汉学界有着两种截然不同的观点。一种观点认为,中国古典长篇章回小说的结构不符合“有头、有身、有尾”的“艺术统一性”要求,是“缀段结构”。所谓“缀段结构”是指一连串故事之间的并列关系,“它们之间不存在因果关系,因而挪动它们在小说时间和空间的位置也无伤大体”。另一种观点以浦安迪为代表,他认为不能用“缀段结构”来描述中国古典长篇章回小说,因为它是以“主结构 + 次结构”的方法来统一全篇的。

关于结构,浦安迪认为:“小说家们在写作的时候,一定要在人类经验的大流上套上一个外形(shape),这个‘外形’就是我们所谓的最广义的结构。”在他看来,结构有“主、次”之分,“大的结构”称为主结构,指西方叙事名著中的“structure”,即那种“大型”叙事架构所拥有的艺术统一性;“小的结构”称为次结构,也称为“纹理(texture)”,与主结构相对。结构与纹理并不是截然对立的,对其进行区分只是为了便于研究。浦安迪认为四大奇书在结构上具有统一性和整体性,并指出四大奇书每十回作为一个叙事单元,整部小说是以十乘十的节奏构成的,那么“小说叙述的连续统一性被有节奏地划分为十个十回”。浦安迪对章回小说结构研究的一个中心概念便是十回主结构。例如《水浒传》《西游记》的早期版本,大致都分成十卷,每卷十回。浦安迪认为,这是“百回定型结构”的“本体”,至于一百二十回的《三国演义》、七十回本和一百二十回本的《水浒传》可视为百回结构的“变体”,但这 3 种作品之间并无结构上的矛盾。另外,在主结构中还存在着“三四回次结构”,即在各个十回中利用三四回小段落的布局来暗藏玄机的做法。例如,在《水浒传》中第三至第七回的叙述以鲁达为主,第七至第十一回写林冲,

第四十四至四十六回写杨雄。他还指出，这种"'百回'结构是为了反映中国传统的审美追求，揭示了中国古代小说结构的空间性；'百'的数字暗示着各种潜在对称和数字图形的意义，符合中国艺术美学追求二元平衡的倾向"。由此我们可以得出结论，四大奇书在结构方面是统一的。

那么中国与西方对中国明清长篇小说为什么会有不同的评价呢？浦安迪认为，首先是"结构"不同，西方叙事文学是"有头、有身、有尾"的结构，中国古典小说是"首尾大照应，中间大关锁"。将西方的概念套用在中国文学作品上肯定会导致误判。其次，中国与西方有不同的美学原型也是原因之一。西方推崇神话，神话的地位不可撼动，所以浦安迪就以神话为典范，运用原型批评理论分析中国与西方的神话。他认为："希腊神话可以归入'叙述性'原型，而中国神话属于'非叙述性'原型，前者以时间性为架构的原则，后者以空间化为经营的中心，旨趣有很大的不同。"由于中国与西方神话有"非叙述性＋空间化"和"叙述性＋时间化"这2个不同的美学原型，导致中国与西方对"事"的理解不同，继而导致了中国与西方叙事传统的差异。所以不应该用西方的"艺术统一性"标准来要求"奇书文体"。

对于中国叙事文体的渊源，浦安迪认为小说与"史文"之间有着特别深厚而复杂的渊源，但"史文"与"史诗"不同，故不能把西方的那一套理论运用到中国文学的研究上。但他同时认为，在中国古代文化的传统中，史文与神话之间存在着一种特殊的共生关系。于是浦安迪整理出中国叙事文的"神话—史文—奇书文体"的发展路径，这与西方的主流叙事系统构成对比，并以此为中国的叙事文学寻出一条与西方叙事文学相对应的研究途径。

四、辨"通俗文学"与"文人小说"

浦安迪在仔细研究了中国古代的小说评点后，提出了所谓的"文人小说"理论。他认为："奇书文体是文人小说，而非通俗文学。"他还指出，奇书文体与其说是在口传文学基础上的平民集体创作，不如说是当时一种特殊的文人创作，而其中的巅峰之作更出自当时某些怀才不遇的高才文人之手。

受新文化运动的影响，"文学革命"主张在社会上引起极大反响。以胡适、鲁迅、郑振铎为代表的中国文人开始用新的眼光来研究中国古典长篇章回小说，继而形成了"通俗文学说"。他们认为奇书文体是在民间艺人一代又一代的"集体创作"基础上的集大成之作。几十年来，此观点已经为文学批评界普遍接受。但浦安迪并不这样认为，他觉得小说与当时的文学思潮有很大的关系。他经过研究发现，在 16 世纪明代“三教合一”兼容并蓄的背景下，文人的自我意识已经开始觉醒，并通过绘画、戏曲、散文、小说等艺术形式含蓄地表达出来，反映出了文人士大夫阶层的批评精神。中国古典长篇章回小说的代表“奇书文体”，很可能就是文人士大夫阶层表现自我意识的手段，因此浦安迪称之为“文人小说”。他所指的文人小说特指明嘉靖和万历年间问世的《三国志通俗演义》《忠义水浒传》《金瓶梅词话》和世德堂本《西游记》这四部小说。

浦安迪将四大奇书认定为文人小说是与“通俗文学论”相背离的，但是浦安迪此举的目的就是要对四大奇书的研究进行重建和反思，用现代性的解读方式来分析四大奇书的意义。

五、结语

浦安迪用中西文学比较的视野，在西方当代叙事理论的指导下对中国古典小说的结构、纹理等进行了细致的研究，提出了一些富有启发性的见解。他对四大奇书的分析并没有纯粹采用西方的批评模式，而是另辟蹊径，以西方当代叙事学的批评方法为基点，兼及文化学、社会学眼光，站在传统与现代、中国与西方的交会点，重新构建了“中国叙事学”的完整体系。他的研究在方法论上给了中国学者一个重要启示：即要实现中国古代文论的现代转换，关键是找到中西文论的契合点，并以世界的眼光去探究。

浦安迪的《中国叙事学》是中西文化完美交融的结晶，它是西方的，同时也是最具中国特色的。当然，没有任何一种研究方法是完美的，他的研究肯定也存在一些纰漏，但他的研究路径确实为今后中国叙事文学的研究提供了新的视角和方法。正如乐黛云在《中国叙事学》序言中说的：“他的研究方法很好……他绝不将某种分析模式强加于中国文学，而是将中国文学置于非常丰富的世界文学发展脉络之中，从多种角度加以欣赏和分析，因而能开辟出许多新的视域和趣味。”

参考文献

[1] 杨义. 重绘中国文学地图——杨义学术讲演集 [M]. 北京：中国社会科学出版社，2003.

[2] 徐岱. 小说叙事学 [M]. 北京：中国社会科学出版社，1992.

[3] 艾布拉姆斯 M H. 欧美文学术语词典 [M]. 朱金鹏，朱荔，译. 北京：北京大学出版社，1990.

[4] 石昌渝. 中国小说源流论 [M]. 北京：生活·读书·新知三联书店，1994.

[5] 浦安迪. 中国叙事学 [M]. 北京：北京大学出版社，1996.

[6] 朱一玄，刘毓忱.《三国演义》资料汇编 [M]. 天津：百花文艺出版社，1983.

《中国食物》:尤金·安德森对中国饮食文化的研究

摘要:尤金·安德森(Eugene N. Anderson)出生于1935年,现任加州大学河滨分校人类学教授,主要从事食物生产和饮食文化的研究。多数学者认为饮食与人类的生活息息相关,对饮食文化的研究大多着眼于餐桌礼仪、餐具选择等方面,而在尤金·安德森看来,饮食文化是一个多元的、综合的概念,不仅体现在饮食的方方面面,更与国家的历史和经济发展之间有着密切关系。因此,本文旨在通过尤金·安德森的代表作《中国食物》一书,从食材、烹饪方式、饮食主体三方面入手,探索历史和人类发展的角度下的中国饮食文化。

关键词:饮食文化;食材;烹饪方法;饮食主体

一、尤金·安德森简介

尤金·安德森(Eugene N. Anderson)出生于1935年,1967年毕业于加州大学伯克利分校(University of California, Berkeley)并获得博士学位,现任加州大学河滨分校(University of California, Riverside)人类学教授。主要研究方向是有关食物的生产与消费的生态学,并且探究人类如何利用、分类和认识相关的资源。其代表作品有《心中的生态学:情感、信仰与环境》《中国食物》(*The Food of China*)、《在混乱中完结》,其中《在混乱中完结》是与人合作完成的。由于其研究方向是食物生产生态学,加之尤金·安德森对于中国的食物文化有特别的兴趣,因此除了出版《中国食物》外,还曾与人合作出版《山与水:中国南海岸的文化生态》,并发表过若干道教与生态学方面的相关文章。其代表作《中国食物》便是其长期研究中国饮食文化的成果。书中,尤金·安德森从上古史入手,将生态环境、历史、社会、食物的起源和文化结合到一起,讲述了农业古国——中国如何设法在可耕地相对很小的面积上养活了世界将近1/4的人口,中国如何选择了精耕细作的、高度多样化的、可持续的农业以解决人口不断增长的问题。此外,尤金·安德森还在书中按照时间发展的顺序将不同时代、不同地区、不同民族的饮食文化与历史学和人种学相结合，来分析中国的饮食文化，并指出简单的决定论不能解释中国的食物体系。它是人类选择的产物，即皇帝和农民、商人和主妇、医生和渔夫无数次决定的产物。

出于对中国食物的喜爱和饮食文化的热衷，尤金·安德森曾携妻带子在中国南方从事多年的田野工作，深入了解了我国南方各种美食的制作过程，其间阅读了大量关于中外人口、食物、消费、营养和烹饪等方面的文献和著作。也正是出于对食物的喜爱和对饮食文化的热衷，他得以从全面综合的角度去分析、感受中国的饮食文化。

二、饮食文化的研究

对饮食文化的研究第一步往往是从其概念的研究入手的。较早的关于饮食文化的概念文献是季鸿昆的定义，他认为："饮食文化是人类社会发展过程中，人类关于食物需求、生产和消费方面的文化现象，既包括人与自然的关系，也包括食物与人类社会的关系。"此外，《中华膳海》也提道："饮食文化指饮食、烹饪及食品加工技艺、饮食营养保健以及以饮食为基础的文化艺术、思想观念与哲学体系之总和。"《饮食文化概论》中将饮食文化定义为："饮食文化是指食物原料的开发利用、食品制作和饮食消费过程中的科技、艺术，以及以饮食为基础的习俗、传统、思想和哲学，即由人们(饮)食生产和(饮)食生活方式、过程、功能等结构组合而成的全部食事的总和。"通过以上种种定义和解释，我们可以发现饮食文化虽尚未有较明确的定义，但从较宏观的角度来看，各时代饮食文化的形态包括当时的社会形态、生产力状况和社会各方面的关系。

除饮食文化的定义外，与其他文化一样有着阶级性、传统的民族性和历史连续性的饮食文化的特点也是各学者研究的对象。季鸿昆认为时代特征和民族特征是中国饮食文化最鲜明的特点。在金炳镐看来，继承性、层次性、地域性和民族宗教性是中国文化特点的几大组成部分，并在此基础上把中国传统饮食文化根据国民生活条件和质量水平划分为果腹层、小康层、富家层、贵族层和宫廷层5个层次。王子辉认为中国饮食文化并不是一种固定的文化现象，而是随着食物的变化和社会的发展不断变化的。同时他指出，如何在快节奏的生活下为人们提供绿色、安全、营养均衡并能丰富日常生活的食物将是中国饮食文化未来的发展方向。朱基富认为，饮食文化既有包括食物选择、烹饪方法、饮食习惯、礼仪和禁忌在内的民族性，又有多种文化碰撞时体现出来的包含性和容纳性。由此可见，饮食文化体现了不同社会阶层和民族的饮食特点以及在不同历史时期的发展变化过程中所体现的社会阶级性、民族性和历史继承性。

鉴于饮食文化多元化的特点，人们对饮食文化的研究也有着不同的方向和侧重点。当前主要有两种方向。一种是走传统路线的饮食文化研究，这种研究又被看作对“烹饪技术”的研究，即单纯地以食物为研究对象，研究食物的烹饪方法、技艺的创新和新菜肴的研发，并在此基础上探讨如何吃、怎样吃才能更健康、更卫生。另一种则倾向文化层面，把饮食文化当作一种综合的社会文化现象进行分析，并从食物选择的历史因素、饮食习惯和烹饪方式与其他文化关联的角度来研究，例如尤金·安德森的《中国食物》就将饮食文化看成一种综合文化现象，从多方面探究了中国饮食文化的特点。

三、尤金·安德森的特殊之处

国人对于食物的研究是精深的，对饮食的爱好可谓狂热，对于因为过度精钻而被娇惯的味蕾，我们一直有一种难以自持的骄傲。若干年前，一位汉学家曾说，“西方汉学家对于中国饮食并不了解”，其原因之一就是中国食谱如此广博以至于许多食物超过了西方人的味觉想象。中国人开发“可吃性”的胆量和肚量足以使大多数人类群体的食物清单相形见绌。此外，自 20 世纪 80 年代以来，人们的饮食消费观念已逐渐趋于成熟，以前的山珍海味、生猛海鲜已淡出人们的视野，取而代之的是品菜谈心的雅致场面。在此期间，关于中国饮食文化的著作数量也明显提高，与之相对应的是，从事饮食生产的工作人员的数量也随着人们生活水平的提高和旅游事业的发展迅猛增加。所以，对中国饮食文化的研究逐渐朝着多元化、多层次的方向发展，烹饪技艺水平也在不断提高，营养研究也逐渐与世界先进水平接近。显然，在吃什么、怎么吃的问题上，我们见识不凡，并有着数不胜数的各领域的专家学者在追求着饮食文化的本质——食物及味道的研究。但奇怪的是，吃的学术研究层面鲜有深度的著作。对于熟知的事物，尤其难做到理性分析和评价，特别是对于诸如饮食这种已经熟悉到视若无睹的事项，我们甚至没有意识将其与自身抽离开来，更没想过去解剖分析一下。安德森凭借敏锐的学术感觉从地理、历史、政治、信仰、文化等多个方面带领我们重新审视和思考，用一种理性的思考和学术的态度，从不同方面来探索人类最为重要和基础的话题——中国饮食文化。

四、食材选择的特点

在食材的选择方面，安德森主张食物的选择并不受限于某一种因素，而更主要是受到地理环境、经济和文化等多方面因素的影响。中华文化摇篮所在的华北地区因为常年受到黄河的冲刷及影响，使得平原取代了先前的丘陵并造成黄河下游流域里形成大片盐碱地，所以早年间粟、大豆、白菜和桃等耐碱性食物成为这一地区的主要食材。虽然现在高粱、玉米、芝麻和小麦已成为华北地区的主要食材，我们仍能从大片的高粱种植基地看出华北地区食材的选择会受到盐碱地特点的限制。而我国另一重要农业区华南地区森林覆盖面积大，地处丘陵高地与河谷交接地带，有着较大的森林覆盖率。高温多雨加之湿热的环境让这一地区形成了温暖、潮湿、通气透水性强的红色与黄色酸性土壤。为了充分利用这一地区的土壤和气候特点，一年三熟的水稻、水芹和塘角等成为主要食材。除了受到地势特点的影响外，华北、华南地区人口和经济的快速稳定增长也决定了它们在食材的选择过程中会倾向一季多熟且产量较高的食材以满足日常饮食需求。反观地域辽阔、人迹罕至的西藏地区，由于土地不宜耕作，所以牛、羊肉及奶制品成为主要食材。

食材的选择及变化也离不开历史和文化的演变。在商朝早期主要食材是粟、稷以及猪肉、狗肉、鸡肉、羊肉等。随着狩猎规模的不断扩大，人们开始用网捕捞，所以鱼、海龟和贝类食物逐渐出现在商朝的餐桌上。而在商朝逐渐兴起的灌溉技术让水稻出现在日常生活中，但现在很多教科书频繁提及商朝进行旱稻栽培实属谬论。到了周朝后半期，人们有了五色、五气等概念，并在选择食材过程中逐渐出现对颜色和味道方面的要求，这在一定程度上影响了食材的组成。到了汉朝，随着《黄帝内经》和《神农本草经》的问世，食物、药物之间的界限也越来越模糊。人们在选择食材时除了有基本的味道要求外逐渐开始注重其药用和养生价值。而汉朝后长达几百年的分裂也对北方的食材产生了较大的影响，例如，北方食用的奶酪和干酪。随后，随着经济的不断发展和文化的交融，谷物在宋朝经历了实质性的变迁，变得愈发重要，最终取得了现代中国主要粮食作物的地位。到了明朝，经过西班牙人和葡萄牙人的介绍，归国华裔自马尼拉将当时的甘薯、花生引进中国，而这些成了一些地区的救荒作物。

五、烹饪方法的特点

在安德森看来，制作食物的方法即烹饪方法也并不是单纯的食物与器具的配合，更是在地理环境、历史背景、政治形式和文化因素的影响下不断进步的处理食物的方式。安德森在书中提到，早在公元前5000年至公元前4000年间，就逐渐有食物被煮熟或烤制的现象。后来，石器、青铜器、铁器等工具的出现也带来了烹饪方法的革新，例如在公元前1766年至公元前1122年间的商朝就逐渐出现了蒸或煮的烹饪方法。到了周朝，《诗经》中提到的香料侧面反映出在烹饪过程中人们开始对食物添加剂有了新的认识和更广泛的应用。并且人们在此基础上发明了腌泡和盐渍的食品处理工艺，并将这种工艺用于大豆的发酵，制成了我们今天食用的酱。中亚地区传入我国的磨面技术给了人们一定的启发，从而实现了将食物烤熟或用其他方式煮过后弄干做成速食干粮和肉片干。这种速食干粮和肉片干可以被放在可移动的冷冻装置里，解决了战时的粮食供给问题。到了汉朝，虽然文献材料或在其他地方没有直接提到烹饪方法的改进，但从人们特别强调要又薄又匀地切开食物以及从出现在考古记录中的镬模型中可以推知，炒是汉朝的又一项发明。到了唐朝时期，虽然其经济与文化的发展远远超过前面的朝代，但食物烹饪方法的发展却不尽如人意。到了宋朝，食物体系逐渐确立，烹饪方法逐渐体现出了地方性，并且根据南北方饮食特点和差异逐步调整，逐渐形成了今天伟大的中国烹饪方法。

六、尤金·安德森在饮食主体方面的见解

同样，饮食活动的主体——食者也是在食材丰富的同时逐步走向多样化的。安德森将中国食者分为统治阶层和平民两个群体，认为在中国，富人与穷人在饮食上的差异比世界上任何别的国家都大。明朝的戏剧、小说、诗作和歌曲对富人们的奢侈宴席和烹调规模以及穷人食用粗糠豆子的描写中就生动地体现出贫富差距导致的对食材选择的差异。这里的富人在尤金·安德森看来并非是那些工作勤奋、忠实的官吏，而是那些无所事事的上层富翁。从早期中国广州、长沙和杭州地区的区域性贸易大城市及餐馆中出现的精致甜点和烧烤类食物以及其高昂的价格可以判断富人们与政府官吏和普通人在饮食上的差距和区别巨大。

而社会的另一极，平民百姓的日常饭食就普通了许多。但从另一个角度来看，食者的阶级多样化造就了对待食物的态度、食材的选用和烹饪方式的差异化，

从而对中国饮食文化的发展起到了巨大的推动作用。

七、结语

虽然尤金·安德森从位置关系、历史、饮食文化功能和哲学等多角度研究了我国的食材、烹饪方法、饮食主体的特点,但仍存在以下两方面的缺陷。第一,尤金·安德森为了深入了解我国饮食文化特点,长期居住在南方并多年从事田间农耕工作,且参观了珍馐佳肴的制作过程。由此可见,他仍将研究中心及重点放在中国南部。但我国特殊的地理环境与区域差异造成南北饮食文化存在着巨大差异,因此某种程度上说尤金·安德森的研究具有一定的局限性、地域性,缺乏全面性和客观性。第二,虽然尤金·安德森从多方面研究了我国饮食文化,但对于很多中国本土研究者来说,其对中国农业制度与政策和精美烹饪手法方面的研究仍有简单之嫌。饮食文化是我国文化的核心,与许多学科及社会层面有着不可分割的密切联系。因此,我们在研究中国饮食文化过程中,既要不断研究如何对烹饪技艺进行创新,如何制作新款菜肴,弘扬传统烹调技术经验和国粹,重视饮食的实践研究,又要客观地从人类学和历史学的视角把饮食当作文化过程来研究,丰富其理论知识。只有这样,中国的饮食文化才能得到更全面、更客观、更生动的体现。

参考文献

[1] 季鸿昆. 我国当代饮食文化研究中的几个问题 [J]. 中国烹饪研究，1994(4):45-51.

[2] 谭志国. 从文化人类学的角度看中国饮食文化研究 [J]. 湖北经济学院学报，2004(2):124-147.

[3] 赵荣光，谢定源. 饮食文化概论 [M]. 北京：中国轻工业出版社，2000.

[4] 金炳镐. 中国饮食文化的发展和特点 [J]. 黑龙江民族丛刊，1999(3)：87-93.

[5] 朱基富. 浅谈饮食文化的民族性与涵摄性 [J]. 吉林商业高等专科学校学报，2005(4)：61-62.

[6] 尤金·安德森. 中国食物 [M]. 马孆，刘东，译. 南京：江苏人民出版社，2003.

艾朗诺与中国古代汉学研究

摘要:艾朗诺(Ronald C. Egan)是研究中国宋代文学与文化的美国著名汉学家,现任美国斯坦福大学东亚语言与文化系主任、教授,是在美国汉学界具有重要影响力的学者。他从不同的角度对宋代文学史进行研究,并且着眼于细致分析宋代的一些被现代学者忽略却又非常重要的表达形式。他以评论性、客观性的方法和西方视角对宋代文学人物以及文学作品进行详细的研究,为中国古代汉学研究特别是宋代文学研究作出了重要的贡献。

关键词:艾朗诺;宋代文学;苏轼;李清照;《管锥编》;欧阳修

一、艾朗诺简介

艾朗诺(Ronald C. Egan)1948年出生于美国康涅狄格州,1976年毕业于哈佛大学东亚语言文明系,获得文学博士学位,曾任哈佛大学东亚语言文明系助理教授、副教授,哈佛大学东亚研究出版社学术编辑、燕京学社(Yenching Institute)《哈佛亚洲学刊》编辑,加州大学圣塔芭芭拉分校东方语言文学系副教授、东亚语言文化系教授,曾兼任美国东方学会(American Oriental Society)会长,现兼任斯坦福大学孔子学院讲座教授,中国香港城市大学中国语言文学系客座教授。艾朗诺的多部著作在哈佛大学出版社、剑桥大学出版社、上海古籍出版社出版。他还曾负责撰写《剑桥中国文学史》(*The Cambridge History of Chinese Literature*)的北宋文学部分。艾朗诺教授也是第一位翻译钱钟书《管锥编》的西方学者,《管锥编》的英文译名为:*Limited Views: Essays on Ideas and Letters*,此书由美国哈佛大学出版社于1998年出版。艾朗诺先生的主要著作包括:《苏轼人生中的言、象、行》(*Word, Image, and Deed in the Life of Su Shi*);《钱钟书〈管锥编〉选译》(*Limited Views: Essays on Ideas and Letters*)(*Selected Translation*);《美的焦虑:北宋士大夫的审美思想与追求》(*The Problem of Beauty: Aesthetic Thought and Pursuits in Northern Song Dynasty China*);《欧阳修的文学作品》(*The Literary Works of Ou-yang Hsiu*)和《才女之累:李清照及其接受史》(*The Burden of Female Talent: The Poet Li Qingzhao and Her History in China*)。

二、艾朗诺与苏轼

艾朗诺对苏轼的诗词文书及绘画成就进行了综合研究，通过对苏轼的人生际遇、学术思想、政治实践及所处时代环境的综合考察，实现了对苏轼贬谪文学的深入细致研究。艾朗诺对苏轼的研究倾注了大量的精力，他凝聚心血所著的《苏轼人生中的言、象、行》（*Word, Image, and Deed in the Life of Su Shi*）一书堪称英语世界苏轼研究的集大成之作，被誉为西方汉学界迄今为止最具学术性的著作。在书中，艾朗诺认为对于诗人苏轼而言，贬谪是一次克服狭隘主观性的最大挑战，迫使他以新的方式去应对这些挑战，贬谪使其文学作品也呈现出新的面貌。

艾朗诺的苏轼研究以考察苏轼的文艺成就为宗旨。与其他汉学家及国内研究者不同的是，艾朗诺使用了一种间接而又全面的研究方式，通过对苏轼的人生际遇、学术思想、政治实践及所处时代环境的综合分析来探讨苏轼的文艺成就。艾朗诺对苏轼政治生涯、贬谪经历、哲学思想等进行了深入分析，而这些分析无一例外地为阐释苏轼的文艺成就作了铺垫。

艾朗诺认为苏轼的哲理诗主要有 3 个方面的特点。一是议论性；二是社会与空间视角——将思维方式与个人抒情诗传统有机融合；三是时间性——转换时间与空间视角观察事物，是诗人超越个人观察世界局限性的有效手段。艾朗诺结合苏轼在学术与政治领域的相关见解来考察其在诗歌中处理情感的方式，从非文学角度研究文学，发掘其诗歌的特征，重视挖掘苏轼革新宋词的动机及原因。艾朗诺认为苏轼在书画艺术上的造诣精深，强调意胜于形，画的最高境界是利用自然意象表达价值理念。

艾朗诺的苏轼研究不但成就较高、影响较大，而且特征突出，对中西学术研究成果广搜博取，学术视野极为宽广，是海外汉学研究注重中西学界互动的典范。

三、艾朗诺选译钱钟书的《管锥编》

从 1993 年到 1997 年，艾朗诺独立翻译了钱钟书先生《管锥编》的部分文章，完成了 *Limited Views: Essays on Ideas and Letters*。钱钟书先生的这本巨著，在今天即便是让以汉语为母语的非专业人员的中国人来阅读，也是晦涩难懂的。因为《管锥编》涵盖了钱钟书先生对 10 部中国古籍所作的 1 400 多篇笔记，既庞大且深奥，并且全书都是使用古汉语写成的。艾朗诺的选译工作非常严谨并且一丝不苟。他对所选条目中的引文都重新进行了核对，从中国古代典籍和欧洲文学哲学书籍里找出钱先生的引述。艾朗诺所选译的条目,都是带有世界文学普遍性和引起比较文学学者兴趣的问题。为了使全篇的理论结构和曲折的意义更加清晰明了,艾朗诺将原文分成几段,并在各段开头加上起到承上启下或语义转折作用的解释。选译本分为 6 个部分:美学和批评的概论;隐喻、象征和感知心理学;语义学和文学风格学;论老子,以佛教和其他神秘宗教哲学为参照;魔与神;社会和思想。为了便于英语读者阅读,艾朗诺成书的《导言》一共写了 23 页,分为两部分。第一部分介绍钱钟书先生的简历和著述情况;第二部分介绍了《管锥编》和钱钟书治学方法的特点等。艾朗诺的《管锥编》选译本于 1998 年出版后在西方汉学界引起轰动并广受好评。艾朗诺的翻译让西方对中国古代文学有了更深刻的了解。由此,《管锥编》被西方学者认为是 20 世纪关于古代中国问题最有洞察力和包罗万象的著作。

四、《美的焦虑:北宋士大夫的审美思想与追求》

艾朗诺撰写的《美的焦虑:北宋士大夫的审美思想与追求》(*The Problem of Beauty*: *Aesthetic Thought and Pursuits in Northern Song Dynasty China*)的书名可理解为,因为与传统观念有所冲突,北宋的士大夫意识到他们对美的鉴赏和追求是有问题的,从而引起了心理上的矛盾,他们在试图化解矛盾的过程中进行了曲折的表达。书中分为 6 章:第一、四章讲的是艺术品的鉴赏与收藏;第二章讲的是诗话;第三章讲花谱;第五、六章讲词。艾朗诺关于 4 个领域的讨论,既可以看作专题性的研究,也可以从文学艺术史的角度视作一个整体。该书把焦点集中于北宋士大夫在追求美的过程中所面临的难题,指出传统儒家思想对这些活动存在许多成见,因此他们必须开辟新的视野,敢于挣脱封建教条的束缚,给出一个自辩的说法。全书的主要篇幅精细地考察了一系列关于审美爱好的自辩,这些自辩透露出士大夫们的焦虑。本书中被全文引录或大段摘录并加以精细解读的文本,约有 20 余篇,多数是北宋的"记"文或序跋。对这些文本的准确英译,是原著的一大成果。艾朗诺从这些文本中找出与全书主旨"焦虑"相关的信息,并把不同时期的文本进行相互比较,由此考察各个领域的发展变化。对于士大夫或文人的关注,是目前中国、美国、日本等国宋代研究者比较一致的学术方向。艾朗诺探讨了前文所叙述的 4 个领域的具体情况后,在结论中把问题引向了这个方面。艾朗诺以非常独特的视角,在全书中考察了宋人的焦虑和自辩。他对宋词的论述让人耳目一新,他用宏观的眼光去注视中华封建时代后期的审美文化及其承担者。他独具慧眼地看到了一种基于个人趣味的,精致、文雅而偏向柔情的审美意识,在当时那个时代突破了当时固有的社会观念,经由士大夫们的焦虑和自辩发展起来。他谨慎而又大胆地描述了这种审美意识的来龙去脉。

这本书所覆盖的时间是从北宋建立的公元 960 年到公元 1126 年,并聚焦于公元 1030 年后的 100 年间士大夫群体在某些领域内对美的追求以及他们的相关表述。在北宋年间,士大夫们对美的追求在不同的领域里都超越了以往的范围,冲破了以往认为不可能逾越的界限。他们的精神内容和表达方式都拓宽了,一些曾经被认为离经叛道的娱乐方式和各种对美的追求得以诉诸文字。对美积极的追求,影响了男性的自我定位,这些新风尚导致北宋士大夫调整了他们关于如何界定男子汉的观念。该书把焦点集中于追求美的过程中所面临的难题,并指出传统儒家对这些活动存在许多成见。艾朗诺在书中探讨的新实践和新思想,对后世有着复杂深远的影响。宋代在有关美与审美的新发展中所表现出的活力是这个时代极其引人注目的一笔。

五、艾朗诺对欧阳修的研究

艾朗诺对于宋代的研究中,以他对欧阳修与宋代文化的研究最具特色。他的创新在于对欧阳修的作品及其带动起的作为美学存在的植物种植学的深度研究。艾朗诺对于宋代植物花卉谱录文化兴起的考察和对文化传统制约力造成谱录中自相矛盾的论证模式的关注,在国际汉学界独树一帜。艾朗诺对北宋士大夫文人的杰出代表——欧阳修情有独钟,对于欧阳修在诸多文化领域的斐然成就非常认同。艾朗诺认为欧阳修是宋代文化的关键性人物,首创性地把石碑铭文的书法当作艺术品收藏,撰写诗话和花谱,并为宋词的发展作出了重大贡献,是那一时代具有代表性的人物。艾朗诺在对欧阳修的研究上进行了非常深刻的挖掘和研究,综合考察了其在各个领域的开创之功,并对其在诸多领域的独创性成就进行了深入研究。2009 年,艾朗诺关注了欧阳修对于花卉这一题材的独特发掘和创造性的书写,在纪念欧阳修诞辰一千年国际学术研讨会上提交了《花卉的诱惑:欧阳修的〈洛阳牡丹记〉》(*Seduced by Flowers: Ouyang Xiu's Record of the Peonies of Luoyang*),并于当年发表于《纪念欧阳修一千年诞辰国际学术研讨会会议论文集》。艾朗诺研究的特点之一是对他所持有的理论进行深度思考,他在研究欧阳修《洛阳牡丹记》内容的同时,对欧阳修论证中表达的美学观念和思想倾向进行了深度剖析,并将其与其他谱录中传达的思想倾向进行对比研究,从而证实了宋代植物谱录的特点:注重在介绍自然科学知识之余表达美学观念和思考倾向。艾朗诺在对谱录的研究中,逐字考察欧阳修论证模式背后潜藏的文化思维,并充分思考了文化传统对于植物学著作的创作主体具有的巨大制约力。

六、《才女之累:李清照及其接受史》

艾朗诺的著作《才女之累:李清照及其接受史》(*The Burden of Female Talent: The Poet Li Qingzhao and Her History in China*)以女性主义为研究出发点,借助隐喻与心理分析,对李清照的创作进行了研究,并对南宋以来出现的有关李清照的重要评论与研究进行了深刻的批判与反思。 这本著作是一部女性被男性作家歧视、宽容、接受、膜拜的观念史,也是一部女性凭借自己的力量和方式挑战、反抗、影响、征服男性作家的心灵史。作者在大范围的时间跨度内观察研究并进行理论提升,最后得出具有规律性的结论。这本书的创作思路清晰、论证缜密、叙事声情并茂,体现了作者深厚的汉学功底。

艾朗诺认为李清照的《词论》很重要,并在书中最后两章专门讨论了李清照的词作。艾朗诺写这本书的目的是从新的角度去欣赏李清照文学作品的特点。另外艾朗诺认为李清照的词非常出名,但流传下来的诗只有十几首。此外艾朗诺发现李清照的诗歌风格和词中所表现的风格完全不一样,很有男子气概。

全书共分为11章,第一章"宋代的女作家"对李清照时代的女性作品展开调查;第二章"写作与争取认可的努力"描写了李清照的创作状态;第三章"易安词的相关预设"对李清照的词作品进行分析研究;第四章"守寡,再嫁,离异"以金兵入侵国破家亡为历史背景,描写李清照后期颠沛流离的生活;第五章"巨变后的写作"和第六章"金石录后序"描写了李清照在经历一系列巨变后的创作高潮,这个时期的李清照以不同的文学体裁写出令人惊叹的多样化文本;第七章至第九章对李清照的接受史进行研究;最后两章以李清照的易安词研究作为收尾。艾朗诺的这本书受到女性主义文学批评及研究的影响,对李清照生平及作品进行再思考,为女性文学批评研究领域提供了新的个案。

七、结语

艾朗诺凭借渊博的汉学功底,把中国宋代历史时期的政治、经济、文化作为背景,对当时的文人志士以及文学作品进行了详细的分析和研究,立意新颖独特。艾朗诺的治学方法深受钱钟书先生等汉学名家的影响,汲取了中国学术传统的精妙之处，并将其运用得得心应手。艾朗诺深厚的汉学功底源于他对中国古代作品炉火纯青的研究以及挥洒自如的使用，对人物形象的刻画和作品的解读分析入木三分。在他所创作的作品中涉及思想史、政治史、文学史、自然科学史等诸多领域，包含精英文化和市民文化等诸多层面。艾朗诺作为当代国际汉学界的翘楚，以数部严谨翔实的学术著作，为中国汉学界带来了不同的观点和视角，更为海外了解汉学作出了巨大贡献。

参考文献：

[1] 万炎. 弥纶群言，而研精一理——论艾朗诺的苏轼研究 [J]. 中外文化与文论，2013(3)：70-82.

[2] 陆文虎. 美国学术界读到了怎样的《管锥编》?——评艾朗诺的英文选译本 [J]. 文艺研究，2005(4)：65-69.

[3] 朱刚. 从“焦虑”到传统——读艾朗诺《美的焦虑：北宋士大夫的审美思想与追求》[J]. 新国学，2014，10(00)：284-304.

[4] 艾朗诺. 美的焦虑：北宋士大夫的审美思想与追求 [M]. 杜斐然，刘鹏，潘玉涛，译. 上海：上海古籍出版社，2013.

[5] 王莹. 艾朗诺的欧阳修与宋代文化研究之探析 [J]. 东岳论丛，2016，37(8)：25-32.

[6] 钱建状. 女性主义、隐喻与心理分析——读艾朗诺教授《才女的负重——诗人李清照及其接受》[J]. 国学学刊，2015(2)：80-84，143.

[7] 任思蕴. 我试图纠正一些对于李清照的偏见 [N]. 文汇报，2014-7-28(9).

[8] 艾朗诺. 才女之累：李清照及其接受史 [M]. 夏丽丽，赵惠俊，译. 上海：上海古籍出版社，2017.

狄百瑞和《中国的自由传统》

摘要:狄百瑞(William Theodore de Bay)是美国新儒学大家,也是欧美汉学界的领军人物。他从中国文化的内在视角看待中国和世界,进而突出了中国文化的独特性。黄宗羲和钱穆两人的民主政治观念以及开放的思想史方法为狄百瑞思想的形成奠定了基础。本文将以狄百瑞以及《中国的自由传统》为主要研究对象,分析其主要特点,使读者能更为深刻、全面地了解狄百瑞及其新儒家思想。

关键词:狄百瑞;新儒学;自由

一、狄百瑞简介

狄百瑞(William Theodore de Bay, 1919—2017)是美国乃至西方汉学界具有重大影响的汉学家之一。他出生于一个知识氛围浓厚的家庭,自小对历史、音乐和体育就有着浓厚的兴趣,并将其一直保持到大学时代。其学士、硕士和博士学位皆得自哥伦比亚大学。在哥大读书时,他开始学习中文,并接触到黄宗羲的著作,自此确定了终身的研究方向。他曾先后在哈佛大学及中国的燕京大学、岭南大学开展研究。20世纪40年代,他在岭南大学与陈荣捷教授相交,结下此后数十年的学术合作之缘。1949年,狄百瑞先生放弃了已经取得的华盛顿海军情报室远东组主管的职务,回到哥伦比亚大学执教,从事中国历史文化研究。1990年退休之后直至逝世之前,他仍坚持为学生上课,教授包括中国经典著作《论语》等在内的“古代经典”课程。狄百瑞认为,让学生学习多元文化的核心经典著作,具有重要的跨文化意义。“在一门课程里对不同文明作全面比较是不可能的,一般一门课会研究1到2个问题,如高贵与文明,孟子论统治者,等等。”狄百瑞终生致力于中国文化尤其是新儒家思想的译介、传播,使中国文化精髓不断为欧美学界所重视,逐渐掀起了全美乃至全球儒学研究的热潮,堪称美国的中国文化研究先驱。在半个多世纪的研究过程中,他不仅与胡适、冯友兰、牟宗三有过交往,更与钱穆、陈荣捷、王际真等人成为好友。他在学术研究上数十年如一日,从不间断。

狄百瑞的研究范围为东亚思想与宗教,而其着力最多者则是中日韩之新儒学,主要著作有:《高贵与文明:亚洲领导力与世俗思想》(*Nobility and Civility*:

Asian Ideals of Leadership and the Common Good, 2004)、《亚洲价值与人权:儒家社群主义的视角》(*Asian Values and Human Rights*: *a Confucian Communitavian Pevspective*, 1998)、《为己之学:新儒学思考中的个体论文集》(*Learning for One's Self*: *Essays on the Individual in Neo-Confucian Thought*, 1991)、《东亚文明:五个阶段的对话》(*East Asian Civilizations*: *a Dialogue in Five Stages*, 1988)、《中国的自由传统》(*The Liberal Tradition in China*, 1983)、《儒家的困境》(*The Trouble with Confucianism*, 2009)等,编写了影响广泛的《中国传统资料选编》(*Sources of Chinese Tradition*, 1960)。除学术研究,他还担任过"亚洲学会"(*Association for Asian Studies*)主席,哥伦比亚大学副校长和教务长,对促进美国的新儒学研究和推广中国古典文献进入哥大通识教育起到了积极的作用。2013 年奥巴马为其颁发"国家人文奖章"(*National Humanities Medal*),以表彰其在沟通中西文化方面所作的贡献。2016 年 6 月 20 日,他凭借在儒学研究领域的"开创性贡献",获得第二届"唐奖"汉学奖(*Tang Prize in Sinology*)。

狄百瑞治学的最大特点是从中国文化的内在视角看待中国和世界,进而突出了中国文化的独特性。据他的弟子郑义静(Rachel E. Chung)回忆,狄百瑞自称"东西方都将其流放"。这从另一个侧面表明他是以一种近乎游离者的态度来客观地审视东西方两种文化传统的,这也是狄百瑞与其他汉学家之间最大的区别。

二、狄百瑞的新儒学研究

美国在中国文化的研究上,较之西方欧洲许多国家,历史是最短的。19 世纪三四十年代,美国开始了对儒家文化的介绍、传播。19 世纪 70 年代起,美国的大学开始设立专门研究中国的机构。1876 年美国第一个"汉语教学研究室"和东方学图书馆在耶鲁大学成立。20 世纪美国的儒学研究逐步兴起。20 世纪 30 年代之后,中美学术界之间的交流增加,美国的中国研究在质和量上都有很大提高。第二次世界大战结束之后,美国学术界对中国的兴趣有增无减,各著名学府都开设了研究中国的学科,研究趋于多元化、精致化。美国学者对儒学的研究也迅速增长。尽管,美国是一个儒学研究大国,其儒学研究全面且系统,但是美国学术界的主流沿袭了反传统的脉络,对儒家思想的价值更多地是持一种怀疑态度,甚至认为儒家学说阻碍了中国的现代化进程。他们揭示了中国文化传统中潜隐与显性的问题,但是也忽略了中国文化思想中的内在价值。在这种环境下,一些学者对中国文化特别是新儒家思想保持更深入了解的态度,逐步从儒学本有的思想结构去发掘它内在的精神活力和自我创造转化的机遇，使新儒学的历史意义与时代价值再次获得重视。

狄百瑞是美国最有影响力的新儒学研究代表人物之一。他探索研究的领域由明上溯至元宋，由中国而旁及日韩，著书立说，策划领导，在哥伦比亚大学开设了“新儒学思想专题研究”的课程，更通过各种基金会的支持与帮助，召开了一系列的国际性会议，邀请中、美、日、韩等国学者，使当代新儒学研究不断加深扩大。

狄百瑞的新儒学研究有以下几个特质：①它不是简单地从西方的角度提出问题，迫使中国作出传统应答，而是力图理解中国传统本身，找到中国真正的问题；②它从维护中国思想传统连续性的立场来阐释和回答中国的问题；③它将新儒学放在儒学框架下研究，承认新儒学的多元和多面性，即狄百瑞眼中的新儒学不仅是向内的心性的，也是经世的；不仅是忠君的、和谐的，也是批判性的。黄宗羲和钱穆对狄百瑞的学术兴趣和学术方向的形成起到了奠基性的作用。

早在20世纪50年代，狄百瑞就开始关注黄宗羲，并将他的《明夷待访录》作为自己博士论文的选题。1993年，他又将该书翻译成英文，并在正文之前附上长文专门介绍。一方面，通过对黄宗羲的研究，他才逐渐向新儒家思想的纵深挺进，进而实现了对朱熹、王阳明理学思想、教育思想、教育方法的全面接受。在《中国的自由传统》一书中，狄百瑞这样定义新儒学，“近代西方所使用的‘新儒家思想’（neo-Confucianism）这个名词，正如冯友兰、卜德（Derk Bodde）、张君劢以及我们哥伦比亚大学的《新儒家思想研究丛刊》各书中所使用的一样，一般来说，是与黄宗羲所指的这个新思潮相通的。也就是说，这个名词包括程朱学派，也包括所谓陆王学派的理学思想。”另一方面，狄百瑞认为，中国传统的儒家学者对现实问题只能给出“书斋式的解决方案”，而黄宗羲的思想则带有鲜明的政治性和民主色彩，这使狄百瑞看到了中国古典文化的生命力和现实意义。此外，黄宗羲实现了对宋明理学家和清代经学家的双重超越。他的关注点始终是现实社会和现实人生，没有抛弃宋明理学从性理出发关怀政治的总体路数，且思想更具民主色彩和改良意识。基于此认识，狄百瑞发现了黄宗羲思想对于西方社会的现实意义，并希望以此为切入点，将中国新儒家思想引入西方思想体系。

狄百瑞的另一位思想导航者是钱穆。钱穆早年曾经重新疏解新儒家的史料，并且从宋明及清初思想史的立场出发，理清了黄宗羲思想的脉络。因此钱穆先生也继承了黄宗羲的典型，保存了他的新儒家的遗产。如果说黄宗羲为狄百瑞提供了政治、社会、民主的政治学视角，那么钱穆不仅夯实了狄百瑞对黄宗羲以及宋明理学的观点，而且提供了学术参考和佐证，同时也为狄百瑞提供了研究中国学术的基本方法以及将之运用于实践的教育理念。在此基础上,狄百瑞形成了自己的新儒家研究思想。

三、《中国的自由传统》里的新儒学思想

1982 年应新亚书院之邀,狄百瑞赴中国香港进行学术交流,成为该书院成立以来的第四位主讲嘉宾。新亚书院由钱穆、唐君毅、牟宗三、徐复观等人于 20 世纪 50 年代在中国香港创立,钱穆任首任校长,并于 1978 年成为"新亚学术讲座"的首位主讲者。该讲座先后有李约瑟、小川环树、狄百瑞、朱光潜、陈荣捷、杨联升、余英时、刘广京、杜维明等 10 余位中外大家开讲。讲座秉持人文主义教育理想,以弘扬中国传统文化为己任,探讨中国文化的传承与发展,发扬学术风范,培养文化风格。自首次开讲至今,讲座的内容与产生的影响引起了海内外学术界的重视。中国香港中文大学出版社将讲座整理成系列丛书出版,每位演讲者一讲一书。该丛书是中国香港中文大学出版社首次与中国内地出版机构在中国内地合作批量出版的学术文化著作。

《中国的自由传统》是狄百瑞先生于 1982 年春受邀为新亚"钱宾四先生学术文化讲座"讲学时收录的,全书共分五讲。他以"人之更新与新儒学的自由精神"(Human Renewal and the Liberal Spirit in Neo-Confucianism)为讲座主题,讨论了具有代表性的若干新儒家的基本观念,其 4 个子题为:①人之更新与道统(Human Renewal and the Repossession of the Way);②新儒家教育的自由精神(The Liberal Spirit in Neo-Confucianism Education);③新儒家之个人主义与人道主义(Neo-Confucian Individualism and Humanitarianism);④明代新儒学与黄宗羲的自由思想(Ming Neo-Confucianism and the Liberal Thought of Huang Tsung-hsi)。

狄百瑞采取的是观念史的方法,风格与钱穆很接近。他找出宋明两代新儒家论著中的中心观念,间或提到这些观念在进行东亚文化交流时日韩两国对待它们的情形。他就中国宋明理学的传统讨论中国思想中的自由主义特质。他在书中论及新儒学"学以为己"的个人自发色彩,强调"自得""相互激励"等价值的教育思想以及明代知识分子自任于天下的责任感,认为黄宗羲正是代表了这种自由主义特质的新综合。

狄百瑞在第一讲"人之更新与道统"中说明了宋代的学术趋势。宋代思潮重新重视道的生命力与创造力,具有新的批判性格。这两者一方面在于重估过去,一方面在于拓深传统,交互为用,以满足当代的需要。这些态度明显地表现在"道

学”“道统”以及“心学”之中。一般的新儒家思想尤其是“道学”，是在北宋（960—1127 年）的伟大改革运动中兴起的。在政治上，这些改革运动在王安石（1021—1086 年）决心推行“新法”的努力中达到了高潮。王安石之所以援引儒家经典，特别是《周官》作为他激进改革的理论基础，是因为这种形态的传统为他提供了攻击现存制度的有力理由，而不是因为他的新制与《周官》书中相传的典范有任何相似之处。王安石深信从古制中可以寻获新制的基础，这一点在他同时代的大儒中并非特例。例如哲学家程颐在政治上与王安石水火不容，但他在引经据典以证明自己思想所具有的权威性这一点上与王安石一样。他曾用近似约翰逊总统（Lyndon Johnson）的“伟大社会”（Great Society）的词汇，说在他们那个时代，需要大改革以兴“大制”或“大利”。他们都认为“道”并非僵死于过去，反而对人类新的境遇兼具生命力与适应性。

在第二讲中，狄百瑞讨论了朱熹与自由教育。新儒家思想中的自由教育与自发精神是宋明两代“自我”的广义观念以及独特的个人主义的基础。在此处，具有关键性的观念是“为己之学”“自得”“自任于道”以及程朱思想中与“自我”有关的观念。朱熹思想的根本，不外乎“为己之学”，这句话出自孔子的《论语》。朱熹在《近思录》及《论语精义》中都提到了“为己为学”。它可以解释为一个人应该自己寻觅其道，好由此得到内心深刻的满足。他认为成全自我不仅在于追求私人的满足，更在于同时可以成全别人。教育与朱熹的整个哲学是不可分割的，因此讨论朱熹的思想时，哲学与教育缺一不可。狄百瑞把朱熹的教育观点概括为几个重要方面：学者为己和克己复礼的教育目的；对小学与下学之道的关心；对在大学中博学和自由论学的强调。

第三讲介绍了新儒家思想中的个人主义色彩，并追溯了这种个人主义色彩在新儒家思想中的根源。狄百瑞讨论了新儒家在学校、家庭、社会及国家中所扮演的功能角色以及新儒家学者在文化行为中所表现出的个人主义。狄百瑞认为这种对于个人的重视以及人的创造性天赋的推崇在文化领域中最为突出。“它是宋代士大夫阶层以及支持他们的其他阶层所参与的高度文化活动的自然成果。……我们在此所说的个人主义思想反映了那个时代的士大夫阶层的特殊功能与角色、那个时代的普遍繁荣……更反映了这些现象与中国固有人文传统相互启发的情形，这个人文传统特别推崇独立的学者对文化及政治做出贡献的重要价值。”

他评价了这些发展对明代晚期的影响，并归结为黄宗羲寻觅一个新的综合的努力。这一全新的概括代表了比较成熟的新儒家的自由主义。狄百瑞将黄宗羲的努力概括为 3 点。①黄宗羲代表儒家对帝制进行批评，向朝代制度本身以及它的擅权发起了挑战;②黄宗羲认为"治法"有根本的重要性。他指出有治法而后有治人,也就是说必须先要改正制度才谈得上治人。③黄宗羲提倡新儒家自由思想的第三部分是教育。《明夷待访录》一书对普遍设立学校的重要性有详尽的讨论。他认为教育除了要发展个人内在的能力之外,还必须有让更多、更有见解的大众参与政治的渠道。黄宗羲的著作《明夷待访录》成书于公元1622年。他在这部著作中对明朝朝政的败坏详加分析,并深溯其根源。这篇文字是新儒家自由传统发展中的一个高潮。黄宗羲晚年大部分时间都致力于阐述明儒在思想及文学上的学术业绩,这些晚年工作的代表就是《明儒学案》。它是明儒思想的批判性的文集,后来更成为中国思想史上的巨著。黄宗羲对朝代制度的批评议论遭到清政府的封禁,他的评论直到19世纪后期才流传开来。清末的改良主义者与革命分子认为黄宗羲是中国民主运动的先锋,然而西方人的看法则不同,他们不认为黄宗羲是"中国的卢梭",因为他们无法了解黄宗羲所依据的儒家自由思想的传统。事实上,黄宗羲是这种思想的传播者。

狄百瑞的意图在于探索儒家的现代发展问题,为中国现代自由的发展找到传统文化的基础,让现代自由从中国的文化传统中生长出来,形成一条本土化的发展道路。

狄百瑞认为海瑞受到了宋明理学晚期成熟思想的影响。他以海瑞为切入点,分析了中国儒学中的个人主义和自由主义特质。他谈到了中国皇朝时代的谏官、史官写作等制度和宋明传播儒家思想的书院,认为它们能鼓励对官吏的言论自由的维护,暗中支持独立批判的思潮。他强调自由是中西两个传统中的共同价值,"如果认为自由主义唯有存在于过去的西方,认为它是舶来品、不能与中国的生活及生活方式融合的话,那么这也可能因此反而破坏了让它从自己的根本自然地滋长的机会,也破坏了近日世界和平生存而必然要接受的文化交流。"[1] 为此,他总结道,"我这些演讲所要说明的不外就是维护上述自由的思想。但这些思想并非钱穆所说是西方的,其实是中国文化传统中固有的观念……我们双方采取对方的思想态度……在这个过程中,不但发现我们个别文化独有的特征,同时也发现在人性上的共通的观点。"

四、结语

狄百瑞先生在新儒学方面有卓越的成绩与贡献,并且在中国思想研究的推动上在美国学术界起到了不平凡的领导作用。从纵的方面说,他由明而上溯至元宋,相信明代儒学的精神内涵实际上承宋元而来,而欲展现其历史的发展面貌与底蕴;从横的方面说,他由中国而谈及日本、韩国,认为新儒学不仅是中国的文化现象,也是东亚的文化现象,而欲探讨其普遍性与特殊性。

他曾将新儒学运动比喻为欧洲的文艺复兴,但他不是一味地作中国文化的辩护人。他相信中国文化对当代人类有其价值,并对未来世界新社会之建立可以有重要的贡献,可是他也毫不讳言地指出,新儒学乃至整个中国传统必须不断自我充实与更新,才能继续在今天和未来的世界承担积极的角色。

参考文献

[1] 魏德东. 美国大儒狄百瑞 [N]. 中国民族报,2014-9-27(6).

[2] 韩伟. "中国的面具":美国新儒学大家狄百瑞思想综论 [J]. 国外社会科学,2017(5):121-129.

[3] 姚光夫,魏祎. 美国新儒学述评 [J]. 天水行政学院学报,2017(2):116-121.

[4] 狄百瑞. 中国的自由传统 [M]. 李弘祺,译. 北京:中华书局,2016.

[5] 张锦枝. 狄百瑞与新儒学研究——读《东亚文明》[J]. 哲学分析,2015(2):185-195.

[6] 郭萍. "儒家人格主义"之省察 [J]. 哲学动态,2019(5):52-57.

罗威廉的中国近代社会历史研究

摘要:罗威廉(William T. Rowe)是美国约翰霍普金斯大学历史系教授、东亚研究中心主任,并且是当代美国最有影响力的汉学家之一。主要研究方向为东亚史、城市社会史。罗威廉偏爱以其概括性的“社会”与“现代”的构想,详细地研究14世纪至20世纪的中国社会历史。本文选取其具有代表性的4篇文章进行介绍,概括其内容、表现形式、创作目的及其价值和影响。

关键词:罗威廉;中国近代社会历史

一、罗威廉简介

罗威廉(William T. Rowe)1947年7月24日出生于美国纽约布鲁克林,就读于康涅狄格州的卫斯理大学(Wesleyan University),主修英语, 1967年获得学士学位。1968至1971年,罗威廉作为美国海军军官驻扎在美国在菲律宾的重要军事基地——苏比克湾。在此期间,他在基地图书馆阅读了有关亚洲方面的资料,从此便对中国文化产生了浓厚的兴趣。回国后他在哥伦比亚大学学习汉语,由于成绩优异,他的语言老师坚持要他攻读大学的研究生课程。1980年罗威廉获得美国哥伦比亚大学博士学位。1982年以来他一直执教于美国约翰·霍普金斯大学(Johns Hopkins University)历史系,现任该大学历史系主任。同时他也是美国《晚期中华帝国》(*Late Imperial China*)杂志主编、美国《近代中国》(*Modern China*)和《城市史杂志》(*Journal of Urban History*)编委。1986至1987年,他获得古根海姆奖学金(Guggenheim Fellowship)到中国台湾进行相关学术研究。1993至1994年,他获得中国学术交流委员会研究经费,在中国北京和桂林进行学术研究。

罗威廉的主要汉学著作有:《汉口:一个中国城市的商业和社会(1796—1889)》(*Hankow: Commerce and Society in a Chinese City*, 1796—1889)、《救世:陈宏谋与十八世纪中国的精英意识》(*Saving the World: Chen Hongmou and Elite Consciousness in Eighteenth-Century China*)、《红雨:一个中国县域七个世纪的暴力史》(*Crimson Rain: Seven Centuries of Violence in a Chinese County*)、《中国最后的帝国:大清王朝》(*China's Last Empire: The Great Qing*)和《谈及利益:包世臣

与十九世纪中国的改革》(*Speaking of Profit*: *Bao Shichen and Reform in Nineteenth Century China*)。

二、《汉口:一个中国城市的商业和社会(1796—1889)》

罗威廉在《汉口:一个中国城市的商业和社会(1796—1889)》(*Hankow*: *Commerce and Society in a Chinese City*, 1796—1889)一书中以清嘉庆元年(1796年)为起始年限,以清光绪十五年(1889年)为终止年限,细致阐述了19世纪的汉口作为商业中枢对有关地区各种商品集散转运所起到的总揽大局的作用,并详尽精辟地论证分析了商业行会的发展。对于汉口的研究调查有助于了解并对比中国城市与西方城市的差异,有助于解决汉口应该被定义为"城市",还是应该被定义为更接近于欧洲中世纪早期的"非城市"的问题。对于汉口的研究还有助于了解并对比中国与西方社会不同的发展道路所带来的不同的影响。与中国汉学家不同的是,罗威廉注重对社会各个阶层的各个方面的研究,以西方人士独有的观察、思考和写作的习惯,描述中国城市的社会变迁。他以客观的视角探索后中世纪时期中国城市持续发展的历史、中国城市广阔的地理与人文背景以及城市在中国社会中发挥的经济作用如何超过其政治作用。罗威廉关于汉口的研究,试图证明在中华帝国晚期的一个城市中心,存在着一股重要的社会力量,并力图尽可能全面展示这种力量与城市核心功能之间相互影响的关系。关于中国城市的研究,还没有像吉尔兹(Geertz)对印度尼西亚市镇以及众多作者对前工业化欧洲的个案城市所作的研究那样,对其复杂的制度与社会进行分析。罗威廉试图填补这项研究的空白。他之所以选择汉口,是因为其拥有非同寻常的商业地位,其历史发展又有其他的特殊性:汉口兴起较晚,很少被看作中国社会变迁研究的典型个案。他之所以选择1796年前后作为开端,是因为乾隆皇帝于1796年退位,通常所说的"盛清"至此结束。更为重要的是,这一年爆发了白莲教起义,加速了帝国各级政府的财政衰退。他把研究的时间终结点定在张之洞就任湖广总督的1889年12月,因为张之洞发起的广泛改革实际上改变了地方和区域社会的每一个方面。最重要的是,张之洞的出现可以被看作地方史中工业化时期的开端。

罗威廉在该书中讨论的是清代汉口的社会、经济结构及其特点以及这种结构在19世纪经历的渐变进程,并最终导致它直接进入到19世纪90年代的工业革命和1911年的政治革命(指辛亥革命,编者注)(武汉是中国最早经历这些激进事件的地方)。在该书中,罗威廉清晰地表明,这个城市本身的条件使它有可能必然成为中国工业革命与政治革命的全国性领导者。他的目的在于描述一个中国城市的本土化发展达到最高水平的地方，这样不仅有助于更好地理解现代中国的社会变迁，也有助于我们更准确地认识城市在人类历史上的作用。

19世纪的中国社会并不是停滞的，也不是冷漠地等待着外来刺激的震动，然后才作出反应或效仿外国模式。在此前一个世纪里，汉口社会就沿着中国自身社会经济发展的内在理论所规定的道路不断产生着变化。罗威廉在书中揭示的几乎所有变化都是西方人到来之前的独立发展。书中所揭示的变化可概括为4个方面：商业变化、个人身份的变化、社会结构变化和社会组织变化。在商业方面，由于政府财政对贸易的依赖日益增加，在汉口的商业领域，商人自治全面取代了官府的直接控制。在个人身份方面，清代人口的空间流动造成了某些人群地方身份的多元化，所以在19世纪的中国城市中，不仅形成了城市阶级，也出现了城市社团。在汉口社会结构变化方面存在着两种趋势。一是长期不能实现充分就业的城市下层逐步增加；二是在城市人口内部，自我意识的阶级差别开始出现。在社会组织方面，最为显著的变化是汉口行会的发展。由于时局动荡，社会即将崩溃，必须依靠民间组织渡过难关。1911年政治革命中以行会为中心、实质层面上的市政管理机构得到了全面发展。最具决定性的变化进程在19世纪的汉口也已经起步。明确的城市意识的兴起，自我觉醒的阶级差别的出现，经济领域中商人集体自治的不断增加，在非经济事务方面商人越来越多地承担起官方或半官方性质的责任，这些都促进了资产阶级在城市领导集团中的形成。1911年，武汉三镇及其他城市里年轻的中国资产阶级，以异乎寻常的速度站在了支持革命政府的一边。实际上，在19世纪的最后十几年里，在汉口从事纯粹国内贸易和买办贸易的领域，发生了多起商业活动，都是最初支持建立民国的著名活动。这种反应以19、20世纪国内国际巨变为前提，在很大程度上体现了长期以来中国城市社会不断变化的结果。

三、《救世：陈宏谋与十八世纪中国的精英意识》

关于18世纪清代杰出高级官僚陈宏谋生平的《救世：陈宏谋与十八世纪中国的精英意识》（*Saving the World*: *Chen Hongmou and Elite Consciousness in Eighteenth-Century China*）（以下简称《救世》），是罗威廉最为重要的一部著作。这本书的内容引人入胜，论述逻辑清晰、条理分明。罗威廉通过做人、生财、经世三大部分12个专题，系统阐述了陈宏谋在为官、做人、经世、治家等方面的思想观念和政治功绩。每一个专题都反映出陈宏谋的生平和思想历程的重要侧面。《救世》看上去好像只是陈宏谋的生平思想评传，但罗威廉在论述过程中，始终注意将陈的思想观念与 18 世纪中国政治文化精英的思想意识以及 18 世纪中国的社会政治变迁进行联系，使得《救世》成为通过人物史写社会史的典范。由于该书通过人物史写社会史，书中很多涉及陈宏谋思想观念的介绍与分析，都被罗威廉放置在当时大的社会和时代背景下加以审视。由于罗威廉具有西方学者背景，他在分析陈宏谋生平思想的时候，具有国际化和全球化的视野，注重中西之间思想观念的比较分析。罗威廉的这部巨著不仅阐述了陈宏谋这位清代中期模范官僚的生平与思想，而且可以从中看到整个 18 世纪中国精英阶层思想观念的变化以及这种思想观念的变化与当时的社会变迁和时代发展之间的内在关联。

陈宏谋（1696—1771 年）是 18 世纪清朝统治精英中最杰出、最有影响力的汉族官员。他堪称盛清时代的缩影，更是了解当时官僚精英心态的一个窗口，在这方面，同时代的其他人是无法与之相比的。陈宏谋是清朝历史上担任巡抚时间最长、调任次数最多的地方官员。他的见识超乎寻常，因此哪里有危机，他就被皇帝派去处理哪里的问题。陈宏谋的重要历史地位不在于他的任职时期长，也不在于他工作上的成就，而在于他是清朝地方官员的典范，尤其是被人们称为“经世”（statecraft）治理风格的典范。史学家认为清朝中期经世学风的复兴与陈宏谋是密不可分的。陈宏谋的思想世界存在着三重内在的矛盾。第一重矛盾是实用主义和道德主义之间的矛盾。一方面，陈宏谋是一位具有脚踏实地精神和具有从实际出发管理风格的技术专家；另一方面，他被人们视作一位相当严厉的、倡导纯朴道德准则的真诚的管理者。这种道德准则是实施仁政和维护良好社会秩序的基础。这两种相互对立的思想，同时存在于晚清的政治理念之中。第二重矛盾，是中央政府及其在地方的代理人与地方社会自我管理机制之间权力平衡问题的矛盾。一方面他有兴趣放权于地方精英们，培养地方社会自我管理机制，他对中央政府在财政及其他方面对地方的过多索取也是一贯持批评态度；另一方面，他是一位国家管理政策的有效执行者，为了使国家管理政策深入社会各个阶层，实现更高效的国家控制，他不断地提出各种技术方案。第三重矛盾是陈宏谋思想政策中个人的价值、需求、愿望和权力与集体利益优先之间的矛盾。一方面，他的思想超越性别、民族、文化程度和经济地位等界限，尊重所有人类成员的自主和尊严；另一方面，他又坚信唯有等级制度和集权体制才能保证人类社会的正常运转。《救世》以陈宏谋为引，研究对象为陈宏谋所代表的同一个时代（18 世纪）中国官员的正统精英。

选择陈宏谋作为切入点，是因为在当时的官员中，他不仅具有代表性，同时具有独特性。陈宏谋及其同僚生活在 18 世纪早期和中期的大清帝国，这个时期是一个社会力量兴起和社会变动的历史时期。陈宏谋在个人品质上始终如一地赞同人类的情感、欲望和私利是合理的和有社会功用的，并且抱有清晰的友谊观念。在经济领域，他坚持不懈地支持商业活动，具有相对强烈的财产概念。在政治领域，他更多地关注行政管理的规范化、高效的文书工作、上下级之间信息的通畅以及对社会信息的认真收集和编辑。

四、《红雨：一个中国县域七个世纪的暴力史》

《红雨：一个中国县域七个世纪的暴力史》（*Crimson Rain*：*Seven Centuries of Violence in a Chinese County*）（以下简称《红雨》）是罗威廉有关中国历史的第 4 部专著，并被视作他回归社会史、重新将关注重心转移到地方社会的作品。本书研究的时间段从元末的农民大起义一直持续到 20 世纪 30 年代第一次国内革命时期；研究的地域集中在湖北麻城，并就该地的社会问题展开分析。这种长时间跨度和小地域的结合使得《红雨》能从宏观上透视中国政治社会的变迁。罗威廉对麻城地方史的细致研究，还深化了前人对地方社会的认识，在极具张力的氛围中为读者展开了一幅精彩的历史画卷。

罗威廉以麻城为研究地点，希望对中国乡村社会中的暴力现象进行广泛探讨。他认为集体记忆、历史意识及其他日常文化实践在这一过程中扮演了至关重要的角色。他通过研究认为，中国在谴责暴力行为、将人与人之间的和平与和谐共存确立为道德规范方面，与许多其他文化传统相比要积极得多。人类学家斯提芬·哈雷尔（Steven Harrell）指出：和其他文化相比，中国文化对暴力的谴责和憎恶达到了异乎寻常的程度。

罗威廉采用叙事史方法，按照年代顺序排列，更加文学化，更具描述性，聚焦于细节和特殊之处，关注人类经历的种种复杂性，在某种程度上对社会科学史的结构主义方案进行反思。他认同德国历史学家彼得·杰拉维奇（Peter Jelavich）的观点——将结构看得越清晰，对它们嵌入其间的混乱也就看得越清晰。《红雨》以中心问题“暴力”为线索，依靠历史进行叙述并将其作为组织素材的核心手段。罗威廉将麻城历史放入两个很长的周期中，分别以 17 世纪和 20 世纪的两次大规模清剿为顶点。麻城的暴力规律是在司空见惯的日常杀戮、残害和强制之上，添加了周期性的大规模屠杀事件。从 14 世纪中叶蒙古人被驱逐到 20 世纪中叶日本人入侵期间,麻城经历了两个明显繁荣的时代。第一个是在明朝中后期,其特征是出口农业的发展,并由此使麻城取得了科举入仕的巨大成功和全国性的文化声望;第二个在清朝中叶达到顶峰,这一时期商业移民带来的利润奠定了其繁荣的基础。在这两个时代,麻城有着不同的权力结构特征。

五、《中国最后的帝国:大清王朝》

《中国最后的帝国:大清王朝》(*China's Last Empire*:*The Great Qing*)这部著作最大的贡献就是将40多年来英语学界清史研究的发展整合到一个层次分明的架构之中。在该书导言中,罗威廉简明扼要地勾勒出西方清史研究的3个重要转向:社会史转向、内亚转向和欧亚转向。该书涵盖大清王朝两百多年历史,共分为10章,前5章为:征服、治理、盛清、社会、商业,后5章为:危机、叛乱、中兴、帝国主义、革命。前5章描述了清王朝从建立到兴盛的过程,后5章描述了19世纪之后遇到的危机与调适。本书详细描述了清王朝如何以前现代的统治技术,相对规模较小的政府机构,成功地统治如此多元的众多人口与如此广大的疆土;而清王朝所建立起来的这套机制,如何从内部发生问题,并在进入国际社会后如何重新调整,这些调整又是如何导致清王朝的覆亡。罗威廉在各章节巧妙地整合当前纷繁的研究成果,以清帝国为中心,呈现了清代两百多年的历史变化。

清王朝是中国历朝历代政治实体中最庞大的一个。清朝在其全盛时期形成了比之前任何朝代都更有效率也更有效力的行政管理与沟通体系,不仅生产力水准远超之前中国的任何朝代,而且其经济管理体制也比之前的朝代更积极、更有效。清朝在小说、戏剧等新的艺术表现形式上开疆拓土,可作为两千多年帝制中国史的最终章。清朝在性质上与之前各代王朝有所不同,作为近代早期欧亚大陆形态的多民族帝国,它在扩展中国地理范围上取得了惊人的成功。从17世纪中叶到20世纪初期,清朝作为一个重要的政治实体在欧亚大陆具有一个广大且持续扩张的空间,其历史在诸多不同方面与全球历史进行紧密交叠。清政府与之前各王朝或之后出现在这块领土上的诸多国家有着性质上的差异。

六、结语

罗威廉作为当代美国最有影响力的汉学家之一,以其丰厚的知识底蕴和对中国文化的长期研究,创作出数部巨著,为美国了解中国历史、经济、政治、文化作出了重要贡献。罗威廉认为美国的东亚研究现在非常兴盛,目前的东亚研究始于20

世纪 70 年代越南战争初期,这是“起飞”阶段。随着中国对外开放以及此后中国经济和亚洲其他地区经济获得长足发展,美国学者对东亚研究的兴趣空前高涨。与其他美国近代汉学研究者不同,罗威廉以客观独特的视角,由点连线,由线成面,再全方位立体化描述中国近代的社会变迁。罗威廉的研究成果不单为美国了解中国作出了贡献,也为中国汉学界打开一道不同视角的窗,以世界为大背景,从宏观角度俯瞰中国历史文化,为研究中国近代汉学提供了新颖、宏大、宝贵的文献。

参考文献

[1] 彭雨新,江溶. 十九世纪汉口商业行会的发展及其积极意义:《汉口:一个中国城市的商业和社会(1796—1889)》简介 [J]. 中国经济史研究, 1994(4): 143-153.

[2] 罗威廉. 汉口:一个中国城市的商业和社会(1796—1889)[M]. 江溶,鲁西奇,译. 北京:中国人民大学出版社, 2005.

[3] 许金晶. 一个人,折射 18 世纪中国的精英意识 [N]. 中华读书报, 2017-6-7(10).

[4] 罗威廉. 救世: 陈宏谋与十八世纪中国的精英意识 [M]. 陈乃宣,李兴华,胡玲,等,译. 北京:中国人民大学出版社,2016.

[5] 罗威廉. 红雨: 一个中国县域七个世纪的暴力史 [M]. 李里峰,等,译. 北京:中国人民大学出版社,2013.

[6] 罗威廉. 中国最后的帝国: 大清王朝 [M]. 李仁渊,张远,译. 台北:台湾大学出版中心,2013.

孟旦对中国哲学和伦理的研究

摘要:美国汉学家孟旦(Donald J. Munro)运用中国哲学的观点和西方社会学的研究观点,并参考西方伦理学和认知心理学的研究成果,研究中国社会和历史发展进程中人的观念的变迁和衍化,在中西文化对比之中揭示了人性和哲学的本质。

关键词:孟旦;伦理学;中国哲学

一、孟旦简介

孟旦(Donald J. Munro),1931年3月5日出生,1953年在哈佛大学获哲学硕士学位,1964年在哥伦比亚大学获哲学和中国学博士学位。在几十年的学术生涯中,人性和哲学问题一直是他关注的焦点。1964年孟旦成为密歇根大学助理副教授,1968年成为副教授,1973年成为教授,1996年从该校光荣退休。他在密歇根大学研究中国古代哲学和新儒家主义,同时也研究经历封建时代之后的现代中国思想。他接受过西方哲学的学术训练,曾跟随刘毓鋆先生、唐君毅先生学习中国古典文献学和中国哲学。他跨越社会学研究观点和西方文学研究方法的界限,将中国古代和现代的思想联结起来对中国哲学进行研究。他在研究中深入分析解读文本,引用艺术和文学的概念,考察历史资料,将研究对象和西方哲学观念进行对比。1993—1995年孟旦曾经担任密歇根大学亚洲语言文化系(Department of Asian Languages and Cultures)主任。他是美国科学院(National Academy of Science)学者交流委员会成员,与北京大学和中国社会科学院的学者和同行保持互动交流,为促进两国学者交流、及时了解学术动态提供了通畅的渠道。他担任过《中国哲学研究》(*Chinese Studies in Philosophy*)和《中国哲学》(*Journal of Chinese Philosophy*)这两个期刊的编辑。孟旦的著作包括:《早期中国"人"的观念》(*The Concept of Man in Early China*, 1969)、《当代中国"人"的观念》(*The Concept of Man in Contemporary China*, 1977)、《人性的形象:一个宋代的肖像》(*Images of Human Nature: A Sung Portrait*, 1988)、《20世纪中国的皇家研究方式》(*The Imperial Style of Inquiry in Twentieth-Century China*, 1996)、《新世纪的中国伦理学》

（*A Chinese Ethics for the New Century*，2005）、《应用伦理学：私人和公共选择中的实际指导原则》（*Ethics in Action*：*Workable Guidelines for Private and Public Choices*，2008）。

二、孟旦对中国哲学和伦理学的研究

孟旦多年来潜心研究中国儒家学说，在此基础上跨越自己的舒适的研究区域，将视野投向了更为广阔的哲学和心理学领域，进而结合进化心理学、认知科学和进化生物学的研究成果来论证中国儒家文化和西方哲学的差异和共性。孟旦曾经在《冯友兰》一文中对中国哲学划分主观世界和客观世界的过程以及中国哲学某个发展阶段作出评判，如果说这是孟旦对中国哲学与西方哲学作出了初步评判，那么在《新世纪的中国伦理学》中，孟旦从更为普遍的心理学角度来探求中国社会集体思想和个人思想是如何统一的，进而分析中国儒家文化与西方哲学的差异和共性，将中西文化对比引向了心理学领域，该研究不但是孟旦的创新性成果，而且是他多年来潜心研究中国社会和文化的必然结果。他的研究往往从具体现象和某个节点出发，深入分析其普遍共性和心理机制，为其他汉学研究者提供研究中国文化的其他可以借鉴的途径。从孟旦独特的研究视角中，从其对中国哲学"人"的概念的研究中，我们可以找到一些十分有价值的东西——中国哲学中的闪光点。孟旦研究中国哲学史的主要动机是探究中国人的基本思维模式，他关心的是为什么思想家的理论本身和他们捍卫这种理论的方式都有特定的形式。另外，力图挖掘现象背后的原因也是孟旦多年来致力于中国人性论研究的动力之一。

孟旦认为道德体系的理论基础是伦理自然主义，并将伦理自然主义分为两个领域，一是公共道德领域，二是自我道德领域。根据进化心理学研究，这二者均受到人类情感、意识和信念等5个基本欲望的影响。虽然进化心理学并没有将心理研究成果拓展到当时的社会发展规则和公共道德领域研究中，但是孟旦相信这些研究成果实际影响人们的个体选择进而影响社会整体选择，形成了公共道德和默认的伦理规则，由此来衡量个人利益和集体利益。孟旦质疑那种不近人情、不顾个人利益而盲目地服从集体的道德规范，认为这种规范不符合人类个体心理进化规律，并用美国总统肯尼迪的政治实例来说明，人类有共同的道德、感情来审时度势，从而放弃那些违背人伦和信义、不利于人类长远发展的集体决策。孟旦分析了人类某些共有的心理特性——传统功利主义注重行动结果，只有结果可以让人满足、快乐,人们才会采取行动。由孟旦提出的双领域功利主义这一心理特性将人类幸福分成两个层次——全体幸福和近亲社群幸福,这与传统功利主义又有所不同。由于个人与其他直系亲属、旁系亲属以及其他邻居关系之间的更为直接和亲近,因而个人考虑照顾到他们的利益和需求更甚于考虑个人不熟悉的社会团体和其他社会组织。换言之,在公共道德和私人道德这两个领域的功利主义中,个人可能更倾向于考虑私人道德。对于社会个体的平等价值,孟旦提出了人类的4种共同特性——遗传基因的相同特征、对于痛苦和快乐的感受、爱与被爱以及道德直觉,这些特性引导人们在社会公共道德领域对社会关系进行判断并坚持在社会道德面前人人平等,进而制定各项有利于维护社会秩序的法律和遵守公共道德。伦理学要求人们将社会道德和公众利益置于私人感情和亲属关系之上,但是孟旦针对这一观点提出了不同的观点:伦理学如果忽视个人对于亲属和其他亲近个体的感情则忽视了人的生物属性和进化结果,因而伦理学应该考虑到个体感情,是“实际可行”的,即从实际情况出发,认可人的个人感情因素会影响个人的道德选择和判断。人们可能会尊重公共领域的法律和道德行为准则——如国家法律、政党章程、社会舆论和工作原则,但是除此之外因为人们与家庭和社区成员之间的关系更为密切,人们可能更偏向于关心和处理这些利益,为实现这些利益而采取行动,在此基础上的伦理学研究才是实际可行的。

孟旦根据进化心理学家的“直接动力机制”理论总结出人们与遗传有关的4种生物本能——直系亲属关爱和旁系亲情、趋利避害本能、互惠和分享以及显示阶层地位的行动,用这4种生物本能说明道德直觉。在这些本能基础上人们形成了道德直觉,而孟旦更是把道德直觉的内涵提升到“基本欲望”这一更高程度。这5种基本欲望分别是追求健康和身体的舒适、婴儿与抚养者之间的爱以及直系亲属之间的爱、对于公平性的渴求、尊敬或者尊重、对于行动结果的前瞻和对于选择的控制。

第一种欲望——追求健康和身体的舒适。孟旦根据达马西奥的说法,在快乐和痛苦的意义上定义舒适。

第二种欲望——婴儿与抚养者之间的爱以及直系亲属之间的爱。这种爱与同情和移情联系,我们因此被与其他人有关的事件所感动,并且考虑到其他人的感受。

第三种欲望——对于公平性的渴求,即人们根据互惠的准则公平对待其他人,然而在私人领域,人们可能会把情感更多地投向亲人和朋友而无法满足公共领域的公平性原则。

第四种欲望——尊敬或尊重,促使人们合作和服从集体利益。

第五种欲望——对行动结果的前瞻和对于选择的控制。前瞻是个人在行动之前,结合第二种欲望,预测出所在团体和自己私人生活中的亲人对自己行动的反应,以便在行动中更容易与其他人合作并建立起稳定的社会关系。人们要遵守公共领域中的道德规范和行为准则,同时也要满足私人领域中家人和亲人的愿望和需求,从而过上稳定、快乐、幸福的生活。这种观点概括出各个文化和宗教中人类思想和行为机制的普遍性,认为人们在行动之前,并非是从情感出发的,而是以道德准则为优先原则来作出判断、采取行动,但是孟旦却通过对中国和西方问题的研究指出了该观点的局限性,并得出了截然相反的结论。他提出 5 种基本欲望都包含情感、认知和意志的部分,这 5 种基本欲望同时共同影响人们的行动。换言之,人们在作出选择、采取行动之前,大脑的神经系统中镜式神经元发挥作用,将认知、情感和意志结合在一起,理解他人的处境,产生同情和移情,因此人们是通过自身本能、直觉和由此产生的情感在公共领域和私人领域两个领域中处理道德问题并采取行动的。进化心理学研究通过研究以上机制来甄别个人是否服从集体利益,而孟旦则通过进化心理学的这些机制说明,伦理学研究忽略了基于神经系统作用之上产生的直觉、情感第一时间对于道德选择起到的重要作用。孟旦将这些直觉称为道德直觉,包括认知(信念)、情感(直觉、动机)和意志产物。认知和情感是由大脑镜式神经元在个人的直接经验和对他人经验的同情性反应的基础上产生的,这些只是大脑产生的规则、记忆和决策,而并不直接构成伦理学的规则。镜式神经元模仿他人的行动和形象,学习前一代在社会中的行动,想象他人在相同情况下的心情和感受,进而形成道德直觉,根据他人的感受和之前的自我经验采取行动。镜式神经元通过自己的记忆和推理产生了对道德信念的直觉感情,例如对于不道德行为的本能的愤怒、对于无私行为的感激和同情、对于荣誉的骄傲和对于不道德行为的羞愧。这些感情和动机构成了 5 种基本欲望和本能,帮助人们对道德问题作出判断。孟丹肯定了这些欲望的生物性基础以及在此基础上产生的本能道德观念,认为这些可以指导人们行动的伦理性原则,同时孟旦也强调这些本能对于道德观的判断也可能在某些具体情况下和伦理学原则相冲突,换言之,当个人领域中的道德规范和公共领域的道德规范相冲突时,本能和直觉倾向于个人领域的欲望满足,这就违背了伦理学即在公共领域的原则。当个人的基本欲望和他人欲望即个人利益和公共领域的利益相同时,道德规范便在公共领域产生且个人需要服从这些道德规范。

孟旦重新列举了伦理学中重要的几种情感:罪孽、羞耻 / 荣耀和信任。孟旦以中国文化中的荣和耻为例，即通过树立正面和负面榜样的手段来影响人们内在的情感和道德定位。孟旦运用进化心理学中的情感观点来分析罪孽、羞耻/荣耀心理产生的过程。个人破坏了公共领域中的道德准则之后，情感（直觉）预测到遵守道德规则的他人对自己的反应，从而考虑他是继续破坏道德规则，还是回归道德规则而继续与他人合作，采取有利于公共领域的行动。羞耻/荣耀作为影响人们行动的手段具有生物学基础，遵循进化心理学中研究的神经传导机制，因而团体和社会组织在制定规则和社会道德之后可以采用褒奖的手段倡导这些规则以及采用羞辱的手段来惩罚不遵守社会道德的个人。

孟旦将进化论思想中的信任和第四种欲望——尊敬和尊重对应起来，并引用安延明的著作来追溯信任在中国的根源——中国文化中的诚信观念。诚信观念中包括进化心理学中的神经传导机制即情感和认知，具体来说就是人们对于言语和行动、道德的认知。中国文化中的诚信延伸到信任——进化心理学所涉及的心理机制，信任促使人们预测他人行为并促进合作。孟旦根据进化心理学中的基本欲望一说，认为人类具有的生物本能和认知会促使个人作出利己或者贪婪的选择，但是同时人类的信任、尊重和羞耻等情感也是本能认知，促使人类控制自我利己或者贪婪的倾向，进而彼此信任、相互合作，因此个人既有可能以打破团体规则和社会道德规范为耻而选择信任他人而与之合作，同时也有可能不被社会的道德规范影响和控制，作出与伦理相关的道德直觉相关的、更有利于私人领域利益的选择。行为满足5种基本欲望的程度决定了最终的选择。在私人领域即家庭或社区范围里，大脑皮质层帮助人们作出关于钱财和情感的选择，以便维护家庭和谐和社区合作；在公共领域，大脑皮质层帮助人们预见其选择和行动会受到法律和其他社会团体规则的尊重、信任还是惩罚。因此，人们乐善好施既是个人本身的神经传导机制中认知、情感中移情、前瞻等本能的向善一面所致，同时也是在私人领域、公共领域和他人互动过程中，借助自我认知信任他人、预测和模仿他人行为，同时尊重不同领域的道德规范作出与之符合的选择，从而最终实现个人的基本欲望。

三、结语

孟旦对中国哲学史的研究有一个最主要的动机。那就是要探索中国人基本的思维模式。从对中国近代哲学家冯友兰的思想进行分析，到对进化心理学中神经传导机制产生的认知和情感对个人道德的选择进行分析，孟旦从关注中国哲学家如何区分主观世界和客观世界转到了人的生物属性与社会属性的冲突和相互影响。二者体现了二元论的体系，而后者更为深入地从进化心理学的角度来探讨在主观世界里个人如何受本能和基本欲望驱使，通过神经传导机制与他人和社会的道德规范相适应。这就进一步细化了主观世界的心理运动规律，即主观世界中的信任、尊重、羞耻等感情和认知既来源于个体本身的欲望，又受到他人、文化观念和社会规范的影响，由此可见他的研究涉及主观世界中普遍思想和个体思想之间的联系与冲突，为中国哲学研究开启了新的思路，而运用心理学研究成果来解释社会道德和伦理学问题，为研究和传播中国文化提供了一种与众不同的研究视角和方法。

参考文献

[1] 毛国民. 从中国文化中找寻西方文化的“不可能性”——美国学者孟旦对中国哲学中“人”之概念的研究 [J]. 安顺学院学报，2008（1）：64-65.

[2] 刘笑敢. 研究比较哲学与人性论的巨擘——孟旦的中国哲学史研究 [C]// 傅伟勋，周阳山. 西方汉学家论中国. 台北：正中书局，1993.

[3] 孟旦. 实际可行的伦理准则及其进化论基础 [J]. 安延明，译. 世界哲学，2009（1）：4-28.

[4] 毛国民. 略论孟旦的朱子研究：以“结构性形象”为中心 [J]. 学术研究，2008（8）：68-73，160.

艾兰:具有中国情怀的美国学者

摘要:作为当代西方汉学界的著名学者,艾兰长期潜心研究中国古代历史文化,在先秦文献、考古、思想和文化等领域均有建树。艾兰不仅对于甲骨文、青铜器、竹简有着浓厚的研究兴趣,在先秦诸子哲学和古史传说的研究上也成就颇丰。作为一名师者,艾兰在汉学文化的海外传播和推广中发挥着至关重要的作用。她时刻关注世界汉学界及中国本土学界研究的前沿,促进了中西学术交流,在研究方法等方面给予中国学者借鉴。

关键词:艾兰;汉学文化;甲骨文;青铜器;先秦哲学思想与古史传说

一、艾兰简介

艾兰(Sarah Allan),1945年出生,美国著名汉学家,先后在美国加利福尼亚大学洛杉矶分校和伯克利分校学习中文,1974年完成论文《世袭与禅让:古代中国的王朝更替传说》(*The Heir and the Sage*: *Dynastic Legend in Early China*),并获博士学位。1974年至1975年,她受聘于英国伦敦大学亚非学院(School of Oriental and African Studies),主讲中国古代文化史、先秦文学、先秦哲学等课程。1995年至2016年,艾兰任美国达慕思大学(Dartmouth College)特聘教授,从事中国文化的教学与研究。2010年,商务印书馆策划推出《艾兰文集》,先后出版了《龟之谜——商代神话、祭祀、艺术和宇宙观的研究》(*The Shape of Turtle*: *Myth*, *Art and Cosmos In Early China*)、《世袭与禅让:古代中国的王朝更替传说》(*The Heir and the Sage*: *Dynastic Legend in Early China*)、《水之道与德之端》(*The Way of Water and Sprouts of Virtue*)、《早期中国历史、思想与文化》(*Early Chinese History*, *Thought and Culture*)等中译本,在国内学术界引起热烈反响。2016年10月份,商务印书馆又推出了《艾兰文集》之五《湮没的思想:出土竹简中的禅让传说与理想政制》(*Buried Ideas*: *Legends of Abdication and Ideal Government in Early Chinese Bamboo-Slip Manuscripts*)。

艾兰的父亲是一位研究劳资关系的美国教授,幼时的艾兰时常陪同父亲远赴欧洲工作。但其家庭与中国毫无联系,其对于中国的了解自然微乎其微。高中时期，艾兰阅读了部分有关日本禅的书籍，书中提及的道家思想，便是艾兰对于中国传统文化仅有的认识和了解。大学伊始，艾兰就读于美国俄勒冈州的里德学院（Reed College）。一门有关世界艺术的课程涉及了中国古代的山水画，进而唤起了艾兰了解中国文化的兴趣。当时，只有规模较大的大学才会专门开设中文课程。艾兰毅然决定转学到加州大学伯克利分校（University of California，Berkeley），随后又转入加州大学洛杉矶分校（University of California，Los Angeles）。1963 年，18 岁的艾兰初次正式接触和学习中文。在加州大学洛杉矶分校的第一年，艾兰跟随理查德·鲁道夫（Richard Rudolph）学习中国考古。对古汉语的浓厚兴趣，为艾兰开启了了解古代中国的一扇门。

大学毕业后，艾兰进入加州大学伯克利分校东亚语言学系攻读硕士学位。其间，艾兰受教于从事语言学研究的卜弼德（Peter Boodberg）、从事民俗学研究的艾博华（Wolfram Eberhard）教授，学习古典文献和文字学，于 1969 年以《周汉文献所见太公望》（*The Identities of Taigong Wang in Zhou and Han Literatures*）一文取得硕士学位。1972 年，在伯克利分校攻读博士学位期间，艾兰受邀前往伦敦大学亚非学院任教并继续自学甲骨文。任教期间，艾兰结识了一批汉学名家，其中包括中国著名历史学家、古文字学家李学勤教授。从 1977 年开始，艾兰便开始多次以学术顾问的身份，陪同伦敦泰特美术馆（Tate Britain）的参访团来到中国内地。1984 年，得益于英国科学院和中国社会科学院的交流机制，艾兰初次以访问学者的身份来到中国。自此，艾兰同中国学术界开始了长久和广泛的交流，访问中国的次数也一天天增多。

二、艾兰的学术成就

艾兰长期潜心研究中国古代历史文化，对先秦的文献、考古、思想和文化等领域均有所涉猎。不仅对于甲骨文、青铜器、竹简有着浓厚的研究兴趣，在先秦诸子哲学和古史传说的研究上也成就颇丰。

（一）甲骨文

1981 年，艾兰与当时在剑桥大学卡莱尔学堂（Clare Hall，Cambridge University）访学的中国学者李学勤一同调查英国所藏甲骨。从 1982 年开始，艾兰博士与中国社会科学院历史研究所的专家李学勤、齐文心合作，对英国所藏甲骨进行洞察和施拓，拓集英国 11 个公私单位所藏的 3 000 片甲骨，经过辨伪，略去全伪和字迹不清的残片，选用甲骨 2 674 片收入《英国所藏甲骨集》（*Oracle Bone Collection in Great Britain*）一书。全书分为上下两编，上编为图版，下编为释文和附录，于 1983 年和 1991 年由中华书局陆续出版。其中，除了摹本中已发表过 1 649 片外，还增加了 1 025 片前此未曾发表过的新材料。《英国所藏甲骨集》的问世，为研究和澄清甲骨学和商史中的一些疑难问题提供了新材料，具有极高的学术价值。

艾兰在甲骨研究上的另一突出贡献便是开创了一种鉴定甲骨的新方法和新技术。以往研究甲骨文字的书法和字体结构，鉴定契刻方法，一般根据对照片、拓本的肉眼观察，艾兰则采用将摄影机置于显微镜上拍摄单字或单字局部的方法，便于察微知著，对于推进甲骨文研究颇有助益。

（二）青铜器

除了在甲骨学方面的造诣，艾兰对中国青铜器也颇有研究。她与李学勤合著了《欧洲所藏中国青铜器遗珠》（*Chinese Bronzes: A Selection from European Collections*）一书，艾兰在书的附论部分，就西方汉学界对中国青铜器的研究进行了详尽的回述。基于对西方汉学及艺术史的研究和理解，艾兰充分利用其理论知识，摒弃陈旧观念，对西方学者的青铜器研究进行了综合评述，既从方法论角度总结优劣，又从学术观点的角度度其长短，提出了诸多令人信服且强劲有力的观点。她对西方汉学界青铜器研究的综合评述，对于国内学者拓宽视野，借他山之石以攻己玉颇有助益。

（三）竹简

1998 年，荆门市博物馆在整理郭店简释文后出版了《郭店楚墓竹简》。对竹简有着很高研究热情的艾兰随即在达慕思大学组织了一场关于郭店《老子》的国际学术会议。学者们对《老子》及《太一生水》等篇章展开了热烈讨论，并且就郭店楚简的性质与内容进行了深入探讨，一时间引发诸多媒体报道。也就是在这次会议上，这批郭店所出的竹简被誉为“中国的死海遗书”。郭店简不仅进一步激发了艾兰对于竹简的兴趣，而且在《太一生水》这篇哲学佚文的启发下，艾兰于 1997 年完成了英文专著《水之道与德之端》（*The Way of Water and Sprouts of Virtue*）的撰写。

通过解读郭店楚墓出土的四本竹简以及结合新出竹简，艾兰的新著《湮没的思想：出土竹简中的禅让传说与理想政制》（*Buried Ideas: Legends of Abdication and Ideal Government in Early Chinese Bamboo-Slip Manuscripts*）于 2016 年 10 月

出版。该书主要包括两方面的内容：一方面，该书提供了对郭店楚简、上博简、清华简等竹简的基本介绍，阐述了它们对于理解早期中国文献特别是哲学著作形成过程的意义；另一方面，该书考察了郭店一号墓发掘的《唐虞之道》、上海博物馆收藏的《子羔》和《容成氏》以及清华大学收藏的《保训》这4种竹书中的尧舜传说。对于艾兰而言，研究简帛对理解中国古代思想史有着至关重要的作用。

（四）先秦哲学和古史传说

艾兰教授对于中国古代思想怀有浓厚兴趣，从语言出发探索哲学概念或范畴的建立及其含义，这是其学术成就的又一重要方面。她的著作《水之道与德之端：中国早期哲学思想的本喻》（*The Way of Water and Sprouts of Virtue*）以西方隐喻理论为切入点，指出中国早期哲学概念和思想的本喻是水和植物的意象，该著作被认为是从哲学角度进行水象研究的首部力作。对先秦哲学文献的精通是这本书取得成功的关键，从这本书中可以看出艾兰先秦哲学文献的深厚功底。比如，她在该书第三章对《论语》《孟子》《老子》《庄子》中"道"的分析，指出"'道'的原始意象是通道或水道，利万物的水与河系，永不枯竭的溪流，沉淀杂质自我澄清的池水"。她在这里不是像很多人指出的《老子》中水道互喻，认为"道"和水是比喻，而是说"道"的原始意象是水道。

艾兰认为，神话在人们头脑中是以符号形式出现的，是人们进行思维的一种方式，它直接影响了当时的文化。《龟之谜——商代神话、祭祀、艺术和宇宙观的研究》一书对神话思想进行了有益的探讨，是一部关于古代神话研究的力作。张海燕教授曾高度评价艾兰："透过商代神话与思想的诡谲杂乱的表层形态而揭示出具有规律性的深层结构，并为后代思想的演变发展提供了具有说服力的原生意义的说明。"她的研究"是以她坚定的史料功夫为背景的，尽管新意迭出……但又立论坚定可靠，有根有据……是难能可贵的。"

三、艾兰对于中国的贡献

（一）推广海外汉学研究，勇担文化传播使者

海外汉学家是中国汉学海外传播的重要推手。美国汉学家艾兰作为一名师者，在汉学的海外传播和推广中发挥着至关重要的作用。20世纪70年代至90年代，艾兰受聘于英国伦敦大学亚非学院，主讲中国古代文化史、先秦哲学、先秦文学等课程。其扎实的理论基础和独到的研究理念，为英国学者打开了汉学知识的

大门。20 世纪 90 年代末期，艾兰在美国达慕思大学任特聘教授，进一步开展汉学的相关教学活动。艾兰作为一名海外研究者，跨越民族、语言、文化的差异，致力于传统汉学的教学和研究，为汉学在西方国家的传播和推广作出了巨大的贡献。

（二）促进中西学术交流，搭建沟通合作桥梁

在英国伦敦大学任教期间，艾兰曾主持“古代中国讲席”并广邀群贤进行专题演讲，为各国著名汉学学者提供了共同探讨和相互促进的平台。回到美国后，为推动中国学术的国际化研究，艾兰精心策划了研究课题，寻求财团资助，先后组织了多场在国际上颇具影响力的中国学术国际研讨会。艾兰多次访问中国，同中国学者往来密切，共同开展学术交流，并完成了多项国际合作课题。艾兰继 1982 年与我国著名学者李学勤教授首次合作完成英国所藏甲骨的调查研究之后，1986 年与李学勤教授开始了第二次合作，目标由甲骨文变为青铜器，范围由英国拓展至整个欧洲。除了《欧洲所藏中国青铜器遗珠》（*Chinese Bronzes*：*A Selection from European Collections*）一书问世之外，还出版了《瑞典斯德哥尔摩远东古物博物馆藏甲骨文字》（*Oracle Bone Inscriptions in the Museum of Far Eastern Antiquities*，*Stockholm*，*Sweden*）。李学勤教授对艾兰教授的人品和学术水平给予了很高的评价。艾兰在潜心研究个人学术课题的同时，始终关注世界汉学界及中国本土学界研究的前沿，促进中西学术交流，在世界汉学界与中国学界合作沟通的过程中起到了桥梁的作用。

（三）创新研究方法论，给予国内学者以借鉴

艾兰研究中国思想史的一个重要特点，就是关注研究方法的运用。《世袭与禅让》（*The Heir and the Sage*：*Dynastic Legend in Early China*）一书便在占有大量先秦古典文献资料，又采用古史辨派研究方法的基础上，出色地借鉴了列维－斯特劳斯（Claude Levi-Strauss）的结构主义理论与方法，把中国古典文献中有关尧、舜、禹、启直至商、周王朝的建立的历史传说，当作一种观念运动所产生出来的历史来进行全新的考察，揭示出了隐藏在传说背后的深层结构，显示出历史的本来面目。运用西方哲学的隐喻认知理论来解读中国早期的哲学经典，是艾兰探索中国思想史研究方法的又一次创新。艾兰尝试从语言的隐喻性入手探析先秦诸子哲学思想的本喻，揭示哲学著作中的隐喻性表述、哲学概念的建构以及概念所反映的哲学思想三者之间的重要关系。对于国内学者来说，艾兰在研究方法上的创新具有借鉴的价值。在正确理解原典“本义”的基础上，如果能恰当地应用西方的相关理论和方法作为研究原始文本的叙述背景结构，有助于中国学者换一个角度看待历史文本，使古典思想焕发出时代的新义。

四、结语

艾兰曾在文集的“自序”中写道：“当我或者其他任何一位西方人凝视一块古玉或一尊青铜器的时候，或者吟诵《诗经》中的一首风谣或《庄子》中的一段散文的时候，我们都会被它们的美所感动。”艾兰，一位有着中国情怀的西方学者，致力于中国传统汉学文化的教学和研究，对汉学文化在西方国家的传播和推广作出了巨大的贡献。为促进中西学术交流，艾兰组织了多场在国际上颇具影响力的中国学术国际研讨会，在世界汉学界与中国学界合作沟通过程中起到了桥梁作用。同时，艾兰勇于提出研究新理念，为中国学者研究中国思想史提供了新思路，这些新思路对于中国学者具有借鉴意义。这些研究工作对当代西方汉学界的学术发展起到了推动的作用，同时对中国的历史学、文献学、考古学也产生了重要影响。

参考文献

[1] 许可. 我们正处于古代中国研究的“非凡时期”——访艾兰教授 [J]. 中国史研究动态，2018(5)：65-76.

[2] 张海燕. 艾兰的汉学研究及其方法论特色 [C]// 李学勤. 国际汉学漫步(上卷). 石家庄：河北教育出版社，1997.

[3] 艾兰. 早期中国历史：思想与文化 [M]. 杨民，等，译. 沈阳：辽宁教育出版社，1999.

[4] 张欲晓. 论艾兰的先秦诸子哲学和古史传说研究 [D]. 上海：华东师范大学，2006.

[5] 王江鹏. 海外汉学名家艾兰教授访谈录 [N]. 中华读书报，2017-2-22(10).

[6] 姚远. 美国教授艾兰新著：郭店楚简利于更好理解中国古代思想 [EB/OL]. (2016-06-24)[2019-03-07].https：//www. ru jiazg.com/article/8474. html.

[7] 王云飞. 首部从哲学角度研究水象的力作 [J]. 博览群书，2011(11)：84-86.

[8] 张海燕. 艾兰博士的汉学研究 [J]. 世界汉学，1998(1)：177-182.

[9] 王宝峰. 艾兰研究中国思想史的方法——以《老子》中水的隐喻为例 [J]. 西安电子科技大学学报(社会科学版)，2006(1)：6-8.

何谷理与明清小说的跨学科研究

摘要:何谷理(Robert E. Hegel)是当今美国颇为著名的汉学家之一。在美国汉学界对明清小说的研究逐渐成熟的时候,他的研究便开始了。可以说何谷理是随着美国明清小说研究的发展而成长起来的新一代汉学家。他研究的主要方向是古代文学,尤其是明清文学。其对明清小说的研究,经历了从明清小说版本考证和文本分析,到明清小说接受与传播研究,再到清代刑科题本与明清小说叙事研究3个阶段。他的主要贡献在于"跨学科研究",即运用不止一个专业的视角来研究一个问题。他跨学科的研究方法及研究的创新性,不仅推动了中国国内古典小说的研究,对明清小说在美国的传播与研究也有着积极的推动作用。

关键词:何谷理;明清小说;3个阶段;跨学科研究;创新

一、何谷理简介

何谷理(Robert E. Hegel),1943年出生于美国密歇根州,1965年获密歇根州立大学(Michigan State University)中文学士学位,1967年在哥伦比亚大学获中国文学硕士学位,1970到1971年在中国台湾师大进修中文和书法,1973年获哥伦比亚大学中国和日本文学博士学位,师从著名的夏志清教授。在1975至1978年间,何谷理先生历任华盛顿大学亚洲与近东语言文学系中国文学助理教授、副教授及教授。1990年,何谷理转至该校比较文学系任教,1997年担任比较文学系系主任至今。同时,他还在杜克大学(Duke University)、加利福尼亚大学(University of California)、哥伦比亚大学(Columbia University)负责过东亚的文学与文化学术项目并兼任美国若干所名校出版社的专著出版评审。

何谷理教授在中国古代文学尤其是在明清小说方面研究成果颇丰。出版《十七世纪的中国小说》(*The Novel in Seventeenth Century China*)、《中华帝国晚期插图本小说阅读》(*Reading Illustrated Fiction in Late Imperial China*)等学术专著,合编《中国文学中的自我表述》(*Expressions of Self in Chinese Literature*)、《中华帝国晚期的写作与法律》(*Writing and Law in Late Imperial China: Crime, Conflict and Judgment*)等。自20世纪70年代以来,他发表的论文有《〈隋唐演义〉:其时

代、来源与构造》(1973)、《明清白话文学的读者层辨识——个案研究》(1985)、《章回小说发展中涉及到的经济技术因素》(1988)、《明清文人小说中的非因果模式及其意义》(1994)、《想象的暴力——明刑科题本与小说对凶杀的再现》(2004)、《图解猴王:1641年版〈西游补〉插图》(2006)等,其中不少被译成中文在中国发表,或被《北美中国古典文学研究名家十年文选》等海外汉学研究论文集收入,为明清小说在美国的传播与研究作出了巨大贡献。

二、研究进程和成果

从何教授的一系列著作和论文中,我们不难发现"他的研究似乎经历了从明清小说版本考证和文本分析,到明清小说接受与传播研究,再到清代刑科题本与明清小说叙事研究3个阶段"。他的研究视域不同于传统的中国学者,而且他认为中西学术理论相通且相关联,二者应该互相交流和借鉴。细读他的作品,你会发觉他的研究风格不但继承了中国学界的传统研学方法,"以历史文献为本,论证严谨,没有空理论,花架子,重视版本考证,完全遵循了中国学界的研究传统",而且还带有西方的逻辑思维。作为一个海外学者,他是怎么把中西理论融会贯通并应用到中国古典小说研究上的呢?他的研究一定不会有失偏颇或者带有主观性吗?在这种情况下他对中国古典小说的研究还有积极意义吗?

何谷理在哥伦比亚大学学习中国语言文化时受教于夏志清教授。当时夏教授是"新批评"派的文学批评家,受其影响在何谷理看来,如果一部文学作品对读者没有某些重要的意义,那就不值得研究。所以包括明清小说在内,他十分排斥中国内地的作品,认为他们毫无意义,既粗鄙又无趣。然而,随着韩南和郑振铎等资深学者的研究相继为人所知,何谷理被文学史深深地吸引了。在早期的研究中,他尝试着把批评主义和史学研究这两种方法结合在一起,希望能产生一些新的东西。随着更多的阅读和思考,他意识到自己其实对小说文本在明清时期如何被阅读,为何会有不同的版本及不同版本间的联系,乃至读者层等所知甚少,于是便开始探索书籍史、印刷史,对明清小说进行版本考证和文本分析,分析它们是如何被接受和传播的。1986年夏天住在北京的时候,何谷理在第一历史档案馆读到刑科题本,打算了解不同的语言和方言是如何在这些题本里的口供中展现的。他很快便发现这类证言都被翻译成了官话,所以他开始对人们如何讲述自己的真实生活以及这些故事与作家在小说里所写的生活有何不同产生兴趣。这些引导着他用跨学科研究的方法去研究叙事。他通过比较插图来探讨小说的印刷史,通过探讨小说的印刷史来了解小说在大众中的接受情况,将法律文书与小说对比,以理解对“如何讲述令人信服的故事”所作的假设。接着他还研究了评点,观察若干真实的读者在阅读小说时发表了哪些关于小说的言论。通过研究法律案件,对明清时期人们的道德价值观念有了更好的把握。通过以上分析,何谷理尝试得出如下结论:“明清时期可能阅读白话小说的人非常广泛,包括官员、文人、那些为参加科举考试而受过教育而最终落榜的人,那些有一般文化程度的人,例如富家的妇人和商人之子也应该读过小说,阅读技能相对较低的人也可能是构成阅读群的一部分。”同时他指出明清时期的社会精英,即和创作者有相同的思想、意识和美学趣味的人,不仅仅停留在对白话小说“阅读”的层面上,更多的是带着自身的思想、趣味去“欣赏”白话小说。

对中国明清文学的研究,一个基本的功夫就是对版本的掌握与辨析。刘世德先生在《关于古代小说版本学》一文中谈到了两个重要观点:“古代小说版本学的目的(或主要任务),不在于比勘一字一词一句的异同。对版本的掌握和辨析要做到:一,研究文字和情节内容的异同,而后者重于前者;二,要通过对文字和情节的研究揭示出作者在文学作品的创作过程中和作品的接受与传播过程中出现的某些重大问题。这一步更重要,也更难做到。”第一步,只要钻进去,细心研究,肯定会作出成绩的;第二步需要综合的能力、理论思维的能力;这样才能准确把握不同版本作者的真实意图。在《明清白话文学的读者层辨识——个案研究》一文中,何谷理以隋唐李密的故事为线索,将《隋史遗文》《隋唐演义》《隋唐两朝志传》《大唐秦王词话》和《说唐》等5部白话文本中与李密有关的事件全部列出,然后对这些事件进行分析,去体会不同记叙所反映出的叙述者的不同价值观所造成的故事差异,以及各版本间的联系。他把这几部作品划分为精英作品《隋史遗文》《隋唐演义》和非精英作品《隋唐两朝志传》《大唐秦王词话》《说唐》,“首先在阐述事件所用的手法上,非精英作品倾向于运用‘不合逻辑的和超自然的因素’,而精英作品则‘较不情愿为其读者提供传说或非理性的素材’;其次,在有关李密事件符合历史史实的程度上,何谷理认为‘精英小说有相对高的历史性’。相反,平白质朴的叙事作品要比精英小说显示出更高程度的‘创造性’”。即使同属于精英作品的《隋史遗文》《隋唐演义》,也因为作者的出身和经历各不相同,对人物的刻画和所表现出的意图也大相径庭。

中国本土学者在研究明清小说时主要集中在小说的版本、结构、人物形象或叙事风格方面,而何谷理却从小说与读者的文化程度、社会经济因素出发,发现小说的读者与发展和社会经济之间是密切相关的,都不是可以独立存在的。在研究《章回小说发展中涉及到的经济技术因素》时,何谷理曾多次前往江南一带考察,查阅明代书籍出版业的文献,然后对明代刻印出版小说的世德堂、步月楼等书坊出版著作品类进行调查统计,发现书籍出版业的发展和小说的发展之间是互动的,商业利润是其内在的推动力。另外,“刻书字体的演变:唐朝采用楷体;宋朝则采用欧体、颜体、柳体;元朝赵体最为流行;从嘉靖万历开始,匠体字或宋体字越来越普遍,对大量刻印书籍,特别是针对普遍采用匠体字刻印的传奇、小说书来说,是大有好处的。”因为刻书字体的标准化将会降低印刷成本从而降低书价。另外,小说中的插图也变得越来越精简,装帧方式变得越来越简便,从而便于小说的阅读,这一切都说明小说开始普及,普通民众读者数量增多,小说不再是仅供富人阶层消费的物品,这相应地也推动了小说的消费和流传。总之,何谷理认为明清小说的发展与印刷工艺的发展是密不可分的。“一旦标准化,书籍便如同其他产品一样,生产起来成本便会降低。同样的,产品一旦受标准化的作用,便会更易掌握、更为普及。而且标准化在明末时对小说的普及所起的作用,甚于小说兴起的文化因素,意义也更为深刻。”对中国古典小说的研究,中西方因文化差异导致研究风格各异。中方强调的是考证,而西方注重逻辑思维,理论的更新速度非常快,所以每种理论一出现就会饱受争议和批评。何教授在进行中国古典文学研究时,同时对欧美国家的社会学、批评学、政治学、人类学以及历史学的动向都有着深刻的思考。一旦这些理论传播发展,他就会用这些理论重新审视中国古典小说研究中的问题。西方思潮在 19 世纪末 20 世纪初传入中国时,古典文学的大师如王国维、梁启超等就吸收了西方的思想,开创了中国古典文学研究的新局面。当然,无论任何学理,直接套用肯定是不行的。但有一点必须承认,中西学术之间是互通的,关键是找到它们之间的契合点。作为一个学者,知识的单一并不是一件好事,多借鉴、多交流、多参照才有利于研究。不过,一个重要的前提是每种知识都要吃透,切忌生搬硬套。所以就需要有扎实的文献功底并且要广泛学习中西学理。比如在《明清文人小说中的非因果模式及其意义》一文中,他就借用了历史学、社会学的论述概念—— “边缘人”,并结合自己的文学素养,在相关中国博士学生的帮助下,发现“明清小说家在有意识地改变通俗小说的叙事结构,他们也许是对既有文学实践进行挑战,而且还是对传统的儒家伦理观念进行挑战”。

三、结语

在 20 世纪晚期,国内大多数明清小说的研究局限在传统的研究范围时,何谷理的研究让人眼前一亮。他关于小说插图与阅读之间的关系及书籍印刷技术的演变与小说地位变化之间关系的分析,以及明清时期社会经济、出版业、艺术等与小说之间相互关系的观点让人耳目一新。同时,何谷理通过考察如社会经济、印刷传统等形成阅读小说经验的一些要素,拓宽了明清小说的研讨范围。他进行跨学科研究的方法带给我们以下重要启示:知识系统的单一对研究百弊而无一利,各个学科间都是互通的,无论西方还是中方学理,都要全面地去看待问题,从而找到契合之处。可以说,何谷理的研究并不只是关注小说这个文学形式本身,而是希望以小见大,说明中国文化历史的复杂情况。在他的影响下,近年来,越来越多的国内学者投身于明清小说的研究并取得了不错的成绩。当然,他的研究在今天看来不免存在浅显与诸多不完善之处,但是,这样的研究却如同一把钥匙,为后来者开启了新的大门,而研究中的不足之处也为其他学者提供了更多思考的空间,有待后来者进一步研究与探讨。

参考文献

[1] 赵红娟,边茜. 明清小说的跨学科研究——访美国汉学家何谷理教授 [J]. 明清小说研究,2015(2):228-232.

[2] 曹晋. 在世界范围内推动中国古典文学研究——访华盛顿大学比较文学系何谷理教授 [J]. 文学遗产,2000(4):132-137.

[3] ROBERT E H. Reading Illustrated Fiction in Late Imperial China[M]. Stanford: Stanford University Press, 1998.

[4] 何古理. 明清白话文学的读者层辨识——个案研究 [C]// 乐黛云,陈珏. 北美中国古典文学研究名家十年文选. 南京:江苏人民出版社,1996.

[5] 何古理. 章回小说发展中涉及到的经济技术因素 [J]. 汉学研究,1988(6):191-197.

[6] 何古理. 关于明清通俗文学和印刷术的几点看法 [C]// 中国图书文史论集. 北京:现代出版社,1992.

倪豪士:唐代文学研究兼翻译家

摘要:美国汉学界对唐代文学研究向来尽心尽力,倪豪士(William H. Nienhausesr Jr.)便是其中之一,他涉猎甚广,涉猎领域包括唐代小说、散文、乐府、诗歌、传奇等。作为海外汉学家,倪豪士的著作显示了与中国内地学者不同的、独特的研究视角与研究方法,在文学解读方向上也提出过新的见解。在国内,他的论文著作及讲座会谈悉数可见,其中《传记与小说:唐代文学比较论》一书收录了作者十余篇论文,其理论应用、研究策略独树一帜,发人深省。他主持翻译的《史记》旨在展现底本学术性的一面,是英译《史记》的首次全译工程,具有划时代的意义。

关键词:倪豪士;唐代文学;《史记》

一、倪豪士简介

倪豪士(William H. Nienhausesr Jr.), 1943年出生于密苏里州的圣路易斯,是当今美国著名汉学家之一,拥有30多年的汉学研究经验。1961年,他顺利进入陆军语言学校(Army Language School),借机学习了四年的中文课程, 1965年,进入印第安纳大学(Indiana University)东亚语言文学系(Department of East Asian Languages and Literature),专修中国文学。大学期间,倪豪士在德国波恩大学(Rheinische Friedrich-Wilhelms-Universität Bonn)进修一年,深入学习中国文学,回国后,继续接受柳无忌先生(1907—2002)的教导,分别于1966年、1968年、1973年获得印第安纳大学的学士、硕士和博士学位。毕业后,他曾任威斯康星大学东亚语言文学系主任(1980—1982,1987—1990,2004),先后兼任中国台湾大学客座教授、日本京都大学研究教授、中国社会科学院比较文学研究中心客座研究员等,并多次到中国访学。他还是美国杂志《中国文学》(*Chinese Literature: Essays, Articles, Reviews*)的创立者之一,长期担任主编一职(1979—2010)。倪豪士现为威斯康星大学麦迪逊分校(University of Wisconsin-Madison)东亚语言文学系霍尔斯特·斯科姆讲座教授,并于2018年6月被聘为南开大学客座教授。

倪豪士教授专门从事中国古代文学尤其是唐代文学的研究。1973年博士毕业之际,倪教授与他人合作编著了第一本著作《柳宗元》,之后相继出版了《中国文学的批评性文章》(*Critical Essays on Chinese Literature*)(1976)、《皮日休》(1979)、《传记与小说:唐代文学比较论集》(1995; *Expanded and Revised*, 2007)。除了学术研究,他也长于编辑,例如《唐代文学研究西文论著目录》(1988)、《美国学者论唐代文学》(1994)并主编了《印第安纳中国古典文学指南》(*The Indiana Companion to Traditional Chinese Literature*)等。另外,他也是位名副其实的翻译家,现有翻译成果包括《史记》《杜诗》《唐传奇》《搜神记》等古典文学作品。

迄今为止,倪豪士教授在中国文学研究上已颇有建树。他先后得到美国学术团体协会(American Council of Learned Societies)、福布莱特计划(Fulbright-Hays)以及美国国家人文基金会(National Endowment for the Humanities)等协会组织的资助。2013 年,因在中国古典文学方面的杰出贡献,倪豪士教授获得了 Humboldt Foundation 的终身成就奖。

二、唐代文学

20 世纪 90 年代,国内唐代文学研究广阔的空间和对小说文体的轻视以及宇文所安教授(Stephen Owen)弥久的影响力,致使倪教授的唐代文学研究成果在国内一直不温不火。但是,与宇文所安教授不同,倪教授有关唐代文学的论文广泛涉及"传""记""碑志""哀辞""小说"以及"传奇""诗歌"等各类文体,加上他独特的研究视角和理论应用,理应被国内学者重视。

(一)文学家研究——皮日休(838—883)

《皮日休》是倪豪士早期的个人作品,出版于 1979 年。约翰·马尼(John Marney)评价这本书为:"这不仅仅是为了翻译而著出的作品,它也是一本文学传记典范。"《皮日休》一书共分为 5 个章节,分别介绍皮日休的作品背景、写作风格、散文特点、诗歌介绍以及人物述评。在第二章中,倪豪士率先利用刘若愚先生(James J. Y. Liu, 1926—1986)的文学批评理论分析了皮日休的作品,并将皮日休的作品分为"技巧(technical)"和"实用(pragmatic)"两类,前者主要是指皮的早期作品(收录于《文薮》一集),后者主要是皮在晚年时的作品(以《松陵集》为代表);因此皮日休前期作品的写作风格更倾向于传统的教化法(didactic),反映晚唐的社会现实以及人民所受的剥削和压迫,后期的文笔风格则更强调"技巧(technical)"和"艺术(aesthetic)",以反映日常生活情趣为主。因此无论是第三章中对皮早年创作的散文,或是第四章中倪教授多处着墨的皮日休的诗歌,其中多半是以上述两种风格分类的。在第四章中，倪豪士将皮日休后期创作的300多首诗歌分为三类主题：吴地草木（the flora of Wu）、退隐之作（reclusion）以及多面佳作（miscellaneous）。这个时期皮日休已将创作重点转移到了写作技巧和艺术风格上，倪豪士选译这三类诗歌中的部分代表作品逐句分析。尽管皮日休的诗歌在庞大璀璨的唐代诗歌中并未能获得一席之位，但是作为新儒家承前启后的中介人物，倪豪士对他"晚唐时期极具代表性诗人"的赞誉也就不为过了。

（二）《传记与小说》

《传记与小说：唐代文学比较论》一书收录了倪豪士自20世纪70年代以来12篇学术论文，其中包括唐代文学的多种体裁，如"传记""碑志文""小说"等。此书虽是论文集，写作时间也不尽一致，但看似杂乱无序实则通顺一体。各篇之间贯穿着相同的思路与方法，使全书血脉相连、融为一体。其中7篇为中文，5篇为英译，英译篇文中注以原文名词；每篇论文后都附有详细的注释，文中皆穿插有古文赏析解读。

书中多篇论文都精心选择西方理论解释唐代文学，这一处理手法也是由其海外汉学家的文化背景和学术熏陶所致，诚然，借用西方理论解读古文的方法实际上也存在牵强生涩之处，但这并不影响这一独特研究方法获得认可，在这里极为成功且多样。例如，倪豪士运用"单纯形式"（Simple Forms）理论和俄国形式主义的"母题（Motif）"理念，认为单纯形式是中国初期小说的来源，后世小说创作始于先秦文学（《中国小说的起源》）；用结构主义批评方法将《文苑英华》中的33篇"传"分为三类：第一类由研究者兼叙述者所述，第二类由目击者兼叙述者所述，第三类由报道者转述（《〈文苑英华〉中"传"的结构研究》）等。

另一备受瞩目的研究方法便是比较法。此书所采用的比较方法是多层次、全方位的。比较理论几乎在12篇中都以不同的形式出现过，既有不同文体的比较，又有文化概念的对比。比如，《中国诗、美国诗及其读者》一文中便将艾伦坡的《致海伦》与王维的《西施咏》进行对比，借用了强维森·库勒（Jonathan Culler）的3种阅读方式：投射（projection）、评论（commentary）、诠释（interpretation），认为传统的中国阅读（从不重视诗的内容，反而注意到其他资料）符合投射理论，而美国人的阅读则归为诠释理论，更多关注文本自身；《〈南柯太守传〉、〈永州八记〉与唐传奇及古文运动的关系》借由《南柯太守传》与《永州八记》的对比，进一步猜测传奇与古文的关系，探讨传奇的文法是否受了其他文体的影响，等等。

倪豪士教授的《传记与小说》一书在国内出版已超10年之久，但知之者甚少,最根本、最主要的原因就是他对唐代小说的研究未突破鲁迅构建的研究框架。但他在书中独树一帜的理论方法和研究视角皆获得过文学学者的认同,甚至几乎动摇了文献考据法的地位,或许"文学性"应是中国古代文学研究的下一步考量的方向。

三、翻译《史记》

《史记》在美国的译介经历了从零星翻译到大规模节译直至进行全译的 3 个阶段,现仍在进行中。但《史记》的英文译本多少不尽如人意,杨宪益先生和夫人戴乃迭(Gladys Yang)的《史记》成果忠于原文,可信度高,行文简洁凝练,但篇章有限,暂选 31 卷(1979 版);华兹生(Burton Watson)的"标准版"在很大程度上是应读者而生,但学术性不强,共选译 81 卷(截至 1995 版)。与上述相比,自 20 世纪 80 年代末倪教授开始主编翻译的《史记》尽管在很大程度上满足了学术及大众性的要求,全译工程颇负盛名,但是依然在某些细节上差强人意,至今有英译本 7 卷问世,在国内已出版 4 卷。

(一)译文背景环境

20 世纪中后期,在国际背景下,中国的崛起致使美国对中国的政治态度有所缓和。美国制定了不同于冷战时期的对华政策,从"孤立""遏制"转向"与中国在政治、经济、外交、军事、文化等各个领域"保持"全面接触"。因此,美国对外文化战略也有所调整,自然归化翻译策略的主导地位开始动摇,对文化差异的尊重意识加强。这也就解释了华兹生译版本(始于 20 世纪 50 年代)更倾向于"归化"原则,而倪译(20 世纪 80 年代末至今)则"异化"原则显著。随着国际环境和文化战略一同改变的还有后殖民理论的出现,这一理论的出现催生了翻译策略重心在美国的改变——20 世纪 90 年代,劳伦斯·韦努蒂(Lawrence Venuti)提出了异化翻译法理论(Foreignizing Translation or Minoritizing Translation),他认为:"译文越通顺,译者就越隐形,外语文本的意义或外语文本的作者就越显现。"可见,倪豪士等人的《史记》翻译是在这种"异化"翻译成为主流和相对宽松的文化语境中产生的。

(二)译文结构特点和语言特色

相较于华译版,倪译《史记》因是团队工程,在文本上的流畅度稍有欠缺,风格因译者不同变化很大,整体不如华译优雅,但华译版本却在学术意味上逊色于倪译版，显然这也是因为两者的目标受众群体和各自创作环境的差异性导致的。倪译版本不仅保留了《史记》的文化价值和可读性，也在学术价值上有所延展。倪豪士称译文目标的是：译出一种忠实的、具体详细注解的、尽可能可读的、前后连贯的《史记》全译本。

在结构上，倪译《史记》的主要底本为中国台湾中华书局 1959 版和 1982 版，也参考了诸多前人之见。英译《史记》遵照了底本的时间顺序。译本在结构上依次为：对中外专家的致谢、序言、使用说明、纪年说明、度量衡对照表、缩写表、译文。每页译文下都附有详尽的歧义考证、相关的知识注释、词汇对照表等，所有篇目的译文后都附有译者评注及翻译说明、中外研究成果等，每卷后又附有参考文献。译本最后依次附有《史记》评论家目录、选补参考文献、索引（包含汉语拼音、汉字及官职的英文译文）以及战役图、帝国王朝图等。

倪译《史记》表现出非常明显的“异化”翻译策略，主要体现在译文中的遣词用句、术语解释以及文体风格上。在词句上，例如对“项羽”的解释就有“Hisang Chi”“Hisang Yu”“King Xiang”等富于变化的称呼，在一定程度上展现了项羽不同时期的不同形象；在术语解释上主要针对的是中国文化专有项，译者最为明显的特点是对源文本的考证和注释；文体风格上，倪译版本融合了原文风格，尤其注重对排比句式的翻译，重现了司马迁的写作风格。

（三）译本评价

学术性《史记》译本的缺失以及华译版本对源文本深度的忽视使很多学者对倪译《史记》大为欣赏，葛朗特·哈代（Grant Hardy）评价说：“倪豪士保留了《史记》的原文形式，允许读者尽可能猜想司马迁编撰的决心……我对华兹生的翻译保有一种亲密感，我仍旧欣赏。但是我认为倪豪士的译著将更为值得仔细反复阅读。”另外，倪译《史记》工程的烦琐、细致、详尽，都让译本获得了更多认同，比如，对先秦时期 4 种姓名类型——姓、氏、名、字——的介绍，倪教授的团队使用古罗马时期的名字表达方式——praenomen，nomen，cognomen，agnomen——与之对应，这一点与司马迁严肃的宫廷式的文体风格不谋而合。但译文的细腻之处也多少有些罅隙，如对姓名类型的解释，古罗马时期的名字表达是否真的符合中国的文化语境，能否借译，这还有待证实。的确，中西之间某些文化障碍难以逾越，再加上大相径庭的思维方式和语言差异，因此对译文达意与否定论不一。

除了文化和语言上的障碍，倪译版本还出现了细微的排版问题。比如，字母大小写问题、单词误用、释义不足、脚注缺失等，这类问题在一般的中英文译本中都难以避免。但瑕不掩瑜,《史记》全译本一旦完工,可能会成为中国文化历史对外传播的重要途径,也将为更多研究中国的学者提供更多学术参考。

四、结语

倪豪士教授在中国古代文学上的研究重点偏向于唐代文学,他广泛涉猎各类文体著作,善于运用西方理论解释中国古文,借用比较方法重新让中国学者注意到古文研究的另一路径,极具启示意义。比如,在《皮日休》一书中,他借用刘若愚先生的文学批评理论分析皮日休的作品,将其分为"技巧"和"实用"两类;而在论文集《传记与小说》中,他对理论方法与比较手法的应用又达到了新的高度。除此之外,倪豪士教授善于编辑,同时也是位当之无愧的翻译家,他主编翻译的《史记》在结构特色和语言风格上都不失为一部新的学术大作,虽然文中多少有些语用不当和排版问题,但倪译版《史记》是当下推进中国文化对外传播的又一新兴媒介,理应获得汉学界的文学殊荣。

参考文献

[1] 李珺平. 作为新儒家承前启后中介人物的皮日休 [J]. 湛江师范学院学报,2013,34(2):55-61.

[2] 倪豪士. 传记与小说:唐代文化比较论集 [M]. 北京:中华书局,2007.

[3] 周燕,王海凤,刘真. 关于倪豪士《传记与小说》的学术反思 [J]. 沧州师范学院学报,2014,30(2):22-24,45.

[4] 魏泓.《史记》英语译介研究 [D]. 北京:北京外国语大学,2018.

[5] 孙建杭. 战略·利益·格局——冷战后世界格局的演变和 90 年代美国对华政策的调整 [J]. 世界经济与政治,2000(8):25-29.

[6] 李秀英.20 世纪中后期美国对外文化战略与《史记》的两次英译 [J]. 大连海事大学学报(社会科学版),2007(1):125-129.

[7] 劳伦斯·韦努蒂. 译者的隐形——翻译史论 [M]. 张景华,白立平,蒋骁华,译. 北京:外语教学与研究出版社, 2009.

[8] 魏泓. 历史的机缘与承诺——美国著名汉学家倪豪士《史记》翻译专访 [J]. 外语教学理论与实践,2018(3):85-90.

[9] 李小霞. 形象学视域下的《史记》英译研究 [J]. 淮海工学院学报(人文社会科学版),2016,14(11):52-54.

[10] 郑爽，范祥涛. 从视域融合看译者的主体性阐释——以倪豪士的《史记》英译本为例 [J]. 江苏外语教学研究，2014（1）：73-77.
[11] 李小霞. 历史典籍英译的“深度描写”研究——以倪豪士英译《史记》为例 [J]. 西华大学学报（哲学社会科学版），2015，34（2）：48-51，57.

简析美国汉学家康达维的辞赋研究

摘要:作为美国当代著名汉学家和汉魏六朝辞赋研究专家,康达维在几十年的从教和治学生涯中,分别用中、英两种语言发表了数十篇研究中国古代辞赋的学术论文,结集出版了多部辞赋研究专著和英文译著。在中国赋学的长期翻译和研究过程中取得了突出成就,不仅提出了前所未有的赋学思想,还形成了个人独特的翻译观。康达维的学术贡献对于中国赋学的海外推广和中国传统文化的海外传播起到了积极的作用,同时也为中西学者的学术交流也贡献了自己的力量。

关键词:康达维;赋学;翻译;文化传播

一、康达维简介

康达维(David R. Knechtges), 1942年出生,美国当代著名汉学家,是中国汉赋及六朝文学研究的代表性人物和专家。1942年10月,康达维出生于美国蒙大拿(Montana)州。就读于高中的康达维便对中国文化产生了浓厚的兴趣并致力于学习中文。1960年,康达维进入美国西雅图华盛顿大学(Washington University)攻读中文学士学位。之后,在华盛顿大学威尔逊总统奖学金(Woodrow Wilson Dissertation Fellowship)的资助下,康达维于1964年进入哈佛大学远东语言和文学系攻读硕士学位。在此期间,在海陶玮教授的影响下,康达维意识到学习中文,不仅要在文法和词汇等方面进行探讨,更重要的是要深入了解中国文化。他的研究兴趣也逐渐由中国历史转向了中国文学。1965年,康达维再次回到华盛顿大学(Washington University),师从美国著名汉学学者卫德明教授(Hellmut Wilhelm),对中国汉赋展开了全面而系统的研究,最终凭借《扬雄、赋和汉代修辞》(*Yang Shong, the Fuh, and Hann Rhetoric*)一文获得了博士学位。

1968年,博士毕业后的康达维进入耶鲁大学任教,并与学生宇文所安(Stephen Owen)结下了深厚的师生情谊。在耶鲁大学任教期间,康达维的研究仍然侧重于博士期间所关注的问题——汉赋的特征和扬雄研究。在1970至1971年之间,康达维在《华裔杂志》上发表了两篇探索赋篇特点形成的文章:《七种对太子的刺激:枚乘的〈七发〉》(*Seven Stimuli for the Prince: the Ch'i-fa of Mei Cheng*)和

《早期中国文学中的机智、幽默和讽刺》(*Wit, Humor, and Satire in Early Chinese Literature*),主要从修辞学的角度解读了《七发》和早期中国文学中包含机智、幽默和讽刺因素的作品。1972 年,康达维回到母校华盛顿大学任职, 1974 年晋升为副教授, 1981 年晋升为教授。在此期间,康达维发表了一篇名为《扬雄〈羽猎赋〉的叙事、描写与修辞:汉赋的形式与功能研究》(*Narration, Description, and Rhetoric in Yang Shong's Yue-lieh fuh: an Essay in Form and Function in the Hann Fuh*); 他的专著《汉赋:扬雄赋研究》于 1976 年出版,该专著被认为是康达维青年时期最重要的学术成果,实现了他在汉学界的精彩亮相。1982 年由美国普林斯顿大学(*Princeton University*)出版了《昭明文选英译第一册:京都之赋》, 1987 年出版了《昭明文选英译第二册:祭祀、畋、纪行、宫殿、江海之赋》(*Wenxuan or Selections of Refined Literature: Volume Two. Rhapsodies on Sacrifices, Hunting, Travel, Sightseeing, Palaces and Halls, Rivers and Seas*),《昭明文选英译第三册:物色、鸟兽、情志、哀伤、论文、音乐之赋》(*Wenxuan or Selections of Refined Literature: Volume Three. Rhapsodies on Natural Phenomena, Birds and Animals, Aspirations and Feelings, Sorrowful Laments, Literature, Music, and Passions*)也于 1996 年问世。这几部著作堪称康达维学术生涯中的巅峰之作。2006 年康达维被选为美国人文与科学院(American Academy of Arts and Sciences),2014 年荣获第八届中华图书特殊贡献奖。

二、康达维的赋学观及其翻译思想

在康达维几十年的从教和治学生涯中,他分别用中、英两种语言发表了数十篇研究中国古代辞赋的学术论文,结集出版了多部辞赋研究专著和英文译著,不仅在长期的中国古代辞赋翻译及研究实践的过程中取得了令人艳羡的学术成就,而且逐步形成了其独特的、系统的辞赋翻译理论,对中国古代辞赋的研究和翻译产生了重要影响。

(一)康达维的赋学观

1. 对赋体本质的认识

认识赋体的本质是赋学研究的首要问题。康达维对于赋体本质的认识不落窠臼,他没有从赋的诗歌或者散文的特征中寻找赋的属性,而是通过对中国传统赋论的深入研究来探究其本质。康达维注意到《左传》记载的有关"赋诗言志"的例子,认为"赋诗"有两种含义:一是吟诵现成的诗篇,一般来自《诗经》;二是创作诗篇或是即兴赋诗。而诵诗和即兴赋诗的能力甚至成为检验官员是否合格的标志。康达维还引用了《汉书·诗赋略序》中对赋的论述:“不歌而诵谓之赋,登高能赋可为大夫。”对于该论述,康达维总结归纳出赋的本质特点:一是“赋用于一种与歌不同的特殊背诵方式。这种背诵方式被称为‘诵’,在西汉时用于指不配乐的吟诵或朗诵”;二是这种吟诵同时具有某种政治功能。因此不难看出,康达维认为“吟诵”为区别赋与一般诗篇的本质特征。

2. 对赋体源流的探讨

对赋体源流的探讨是赋学领域的重要课题。对于中国赋体有着浓厚研究兴趣的康达维也在《汉赋:扬雄赋研究》一文中对赋体的源流进行了详细的阐述。由于赋在不同历史时代所体现出来的形式各异,康达维对此给出了形象的比喻,将赋比作“中国文学中的石楠花”。

石楠花有好几种不同的品种:有中国原产的;有嫁接而成并且常见的新品种。但有些品种甚至不叫石楠花,而叫杜鹃花,表面上既不像石楠花,也不像嫁接的新品种。中国文学中的“赋”正如石楠花一般,也包括了几种不同的种类:原来的文体和早先的一些文体相嫁接则产生了一种新文体,而这种新文体后来反而被认为是这种文体典型的形式,这是针对西汉辞赋家创作出的新文体“赋”而言的;后来,原来是石楠花形式的“赋”体终于也产生了杜鹃花,有些文学作品不再以“赋”为题,但是基本上却具有“赋”的体裁本质。

他巧妙地运用“石楠花”概括出赋体的发展演变过程,由先秦的诸多文体融合形成汉大赋——赋体的典型形式,而汉大赋又继续生发出抒情小赋、俳赋、律赋、文赋等其他赋体形式。

3. 对赋家扬雄的研究

康达维早期辞赋研究的重点便是西汉赋家扬雄。中国历史上对于扬雄的评价褒贬不一。尤其近代之后,批评之声不绝于耳。著名学者郑振铎于20世纪末曾对扬雄批评道:“扬雄是典型以模拟为他的专业。既没有独立的思想,更没有浓挚的情绪,他所有的仅只是汉代词人所共具有的遣丽辞用奇句的功夫而已……”而对于扬雄的批判,康达维有着不同的见解。《汉赋:扬雄赋研究》一书则是在其博士论文的基础上,历经八年修改而成的。在该书中,康达维对扬雄之前赋体文学的发展演变进行了历史性的探讨,又从横向的视角分析了扬雄在中国古典思想和文学所取得的成绩。不仅如此,康达维肯定了扬雄在赋创作中模拟的必要性,同时用更多的篇幅展示了扬雄作品中的创新性。康达维摒弃了历史偏见,以“他者”的眼光,成为深入研究西汉赋家扬雄及其赋作的第一人。

（二）康达维的翻译观

1. 求“信”

严复曾在《天演论》当中提到“求其信已大难矣”，“信”则指意义不悖原文，即译文要准确，不偏离、不遗漏，不随意增减意思。康达维的译文力求“信”，追求译文在形式上和内容上都无限接近原文。例如，散体赋是汉赋的典型形式，康达维在翻译时尽量保留这类赋在形式上的特点：用散文的形式来对应形式上是散体、表示故事情节进展的句子；用自由体诗的形式来对应韵文部分。同时，为了使译文尽可能忠实于原文，康达维在译文中尽量保留原文的语序，遵循原文用词的特点，同时对原文的语言和内容进行考证。康达维认为，忠实原文、确保翻译的准确性是第一位的，“如果译作适当的话，翻译本身是一种高水准的学术活动”。

2. 存“异”

美国著名翻译理论学家劳伦斯·韦努蒂（Lawrence Venuti）曾提出“异化”这一重要翻译理论。使用“异化”的翻译策略旨在考虑民族文化的差异性，保存和反映异域民族的特征和语言风格特色，为译文读者保留异国情调。康达维十分注重语言和文化的异质性，将翻译视为文化传播的一种特有方式。他认为“好的翻译”应当主动引导读者去接受原作者的语言习惯，带领读者感受文化的差异，从而切身地理解原作者的写作意境。赋体是中国文学所特有的文体，记录并代表了中国历史的发展历程，包含了深厚的文化底蕴。康达维通过“异化”的翻译策略，充分尊重了不同国家之间的文化差异性，使得外国读者对中国赋体乃至中国传统文化有了进一步的了解和感悟。

3. 至“美”

赋体中的联绵词本身就是汉语语法研究中的难点，其在原文中的节奏感往往很难在译文中得到体现。康达维十分重视汉语词汇本身的特点，在忠实于原文含义和结构的基础上，康达维努力表现出原文的“音乐美”。康达维在翻译联绵词时，注意到其读音与意义之间的关联：“翻译赋时应该特别注意注家的注音，因为注音常常为理解词的意思提供重要线索。同时，注音也可能帮助我们区别那些由相同语素构成的复意词。”在此基础上，他采用了卜弼德（Peter Boodberg）提出的用两个英文单词来表述复音词的方法，“希望通过双声或同义重复等方法实现汉语词汇原有发音的和谐效果”。此外，康达维用英语中的平行结构（parallelism，也叫排比）来展现对偶句的特点，使句中词汇的意思、词性、作用及感情色彩一一对应，从而增强了译文的节奏感和音乐美。

三、康达维的贡献

（一）推动海外赋学研究，给予中国学者启发

康达维对于中国古代辞赋的研究，大力推动了西方赋学研究的发展步伐。作为西方为数不多的将赋这种繁难的问题作为自己主要研究对象的汉学家，康达维的赋篇研究涉及了赋的起源、特点、主旨以及赋篇所蕴含的文化等诸多方面的内容，大大拓宽了西方学者对中国赋学进行研究的范围。作为一名师者，康达维培养了近 60 名研究中国古代文学和辞赋的硕士与博士研究生，为赋学的海外发展储备了后续人才。康达维被海内外学术界公认为当代西方最著名的汉赋及六朝文学研究专家和权威学者，被誉为“当代西方汉学之巨擘，辞赋研究之宗师”。同时，康达维站在“他者”的角度，不囿于东方学界固定的思维模式，对中国古代辞赋提供了不同的观察角度和评价意见。了解康达维对赋篇的解读和他的主要观点，可以使中国学者重新审视对相同问题的理解和评价，从而给予中国学者启迪和借鉴。

（二）翻译辞赋著作，传播中华文化

在中华文化海外传播的进程中，西方汉学家起到了不可忽视的作用。康达维是当代西方汉学家的杰出代表之一，形成了其独特的、系统的辞赋翻译理论，对中国古代辞赋的研究和翻译产生了重要影响。康达维认为：“一部翻译作品，不是在两种语言之间像‘变魔术’般的转换，更不是‘原版复制’，而是要能引起人们对文化和语言上的关注。”康达维关于中国辞赋的译文，为西方学者翻译中国典籍起到了很好的示范作用，同时也为西方读者了解中国传统文化打开了大门，为中国文化的海外传播贡献了自己的力量。2014 年，康达维荣获北京大学“首届国际汉学翻译大会”颁发的“国际汉学翻译家大雅奖”。

（三）促进中西学术交流，搭建沟通合作桥梁

作为美国东方学会（American Oriental Society）主席，康达维为积极推动中美学术文化交流合作以及中国古代文学在西方的传播作出了杰出的贡献。康达维与中国学界的交流始于 1985 年，通过书信的形式与中国辞赋研究家龚克昌结成了友谊，并推动了首届国际赋学术研讨会的召开。1991 年至 1993 年间，康达维作为美国国家科学院中国学术交流委员会成员，与中国学者密切交往和互动，为中美学术界之间的交流献计献策。同时，康达维还频繁到各地进行学术讲座，分享

和传播其研究成果和经验。他曾在伯克利的加利福尼亚大学（University of California）、莱斯大学（Rice University）、科罗拉多大学（Colorado University）、耶鲁大学（Yale University）和哈佛大学（Harvard University）等多所美国大学对中国中古时期的辞赋研究、文学翻译和文化研究等方面的内容进行讲授和答疑。康达维在潜心研究个人学术课题的同时，积极推动中西学术交流，在西方赋学界与中国学界合作沟通的过程中起到了桥梁的作用。

四、结语

作为当代西方汉学家的杰出代表之一，康达维丰硕的研究成果代表了20世纪西方学者赋学研究的最高成就。康达维对于赋体的研究不落窠臼，对于赋体的本质、源流及特点等均提出了自己独特的观点和分析。同时，对于赋家扬雄的研究，康达维摒弃了历史偏见，成为深入研究西汉赋家扬雄及其赋作的第一人。康达维对辞赋研究在西方学界发展过程中最突出的贡献在于他的辞赋翻译工作。他提出了适合中国典籍英译的翻译思想和翻译策略：在深入研究原文的基础上，既要翻译出忠实于原诗原文的作品，又要展现原语语言和文化的特色。康达维不仅在长期的中国古代辞赋翻译及研究实践的过程中取得了令人艳羡的学术成就，对中国赋学在西方学界的发展起到了推动的作用，而且致力于中国文化的传播，为中西方的学术合作和文化交流贡献出了自己的力量。

参考文献

[1] DAVID K, GRAHAM W. The Han Rhapsody : A Study of the Fu of Yang Hsung[J]. Harvard journal of Asiatic studies, 1977, 37(2): 427.
[2] 康达维. 论赋体的源流 [J]. 文史哲，1988（1）：40-45.
[3] 王慧. 美国汉学家康达维的辞赋翻译与研究 [D]. 武汉：湖北大学，2016.
[4] 郑振铎. 插图本中国文学史 [M]. 北京：中国社会科学出版社，2009.
[5] 康达维. 玫瑰还是美玉——中国中古文学翻译中的一些问题 [M]. 李冰梅，译. // 赵敏俐，佐藤利行. 中国中古文学研究. 北京：学苑出版社，2005：27.
[6] 马银琴. 博学审问、取精用弘——美国汉学家康达维教授的辞赋翻译与研究 [J]. 福建师范大学学报（哲学社会科学版），2014（3）：113-120.
[7] 苏瑞隆，龚航. 廿一世纪汉魏六朝文学新视角：康达维教授花甲纪念论文集 [C]. 北京：文津出版社，2003.

中国明清文学研究汉学家——魏爱莲

摘要：魏爱莲（Ellen Widme）是现当代研究中国文学的少数汉学家之一，现任美国卫斯理学院东亚语言与文学系教授，主要从事明清文学特别是晚清时期妇女文学研究。她的研究成果一一体现在她的著作中：《乌托邦的边缘：〈水浒后传〉与明遗民文学》（*The Margin of Utopia*：*Shui-hu hou-chuan and the Literature of Ming Loyalism*，1987）、《美人与书：19世纪中国的女性与小说》（*The Beauty and the Book*：*Women and Fiction in Nineteenth-Century China*，2006）等。1985年以后，魏爱莲教授的研究方向从整体的明清文学转向了具体的女性文学尤其是女性小说体裁。她认为与男性文学不同的是女性文学的萌芽和发展都异常艰辛，而且除了反映明清文学整体趋势的各种因素及变化外，妇女文学更具有特殊性。

关键词：魏爱莲；明清文学；女性小说

一、魏爱莲简介

魏爱莲（Ellen Widmer），1939年出生于美国明尼苏达州，先后在康涅狄格州的卫斯理学院（Wellesley College）和塔夫茨大学（Tufts University）佛来契尔法律外交学院（Fletcher School of Law and Diplomacy）获学士学位和硕士学位；又于1974年和1981年先后在哈佛大学东亚语言与文明系获硕士和博士学位。在哈佛求学期间，跟随韩南（Patrick Hanan）教授研究学习明清小说。在作为哈佛大学拉德克里夫高级研究学院（Radcliffe Institute for Advanced Study Harvard University）研究员期间，曾同时兼任美国学术团体协会（American Council of Learned Societies）、福布莱特计划（Fulbright Program）、美中学术交流会（Committee on Scholarly Communication with China）的研究员，也因为出色的能力获美国国家人文基金会（National Endowment for the Humanities）等基金会的会议资助。至今，魏爱莲已在康涅狄格州卫斯里安大学（Wesleyan University）任教25年。2007年，她重返麻省卫斯理学院，任宋美龄专任中国研究讲座教授、东亚语言与文学系教授以及哈佛大学费正清研究中心教授。

魏爱莲作为韩南教授的高足，继承了导师的研究路径——致力于探讨古典小说的新变,但她的明清小说的研究时期从明清转变到晚清。魏爱莲的第一部专著《乌托邦的边缘:〈水浒后传〉与明遗民文学》便是在她的博士论文《17世纪中国小说评注背景中的〈水浒后传〉》的基础上进一步完善后著成的。该专著缘起南浔作家陈忱《水浒后传》,早在20世纪70年代末80年代初,以魏爱莲为代表的美国汉学家就已着手开始有关于这本书的研究,在时间上要早于中国本土的研究。1985年胡文楷(1899—1988)的《历代妇女著作考》修订本问世,以此为转折点,魏爱莲的研究重点便从整体的明清文学转向明清女性小说研究,关于这一研究主题,她发表了一系列关于明清妇女文学的论文,2006年出版的《美人与书:19世纪中国的女性与小说》也是这一时期的研究成果,此书在国内已有译本, 2015年由北京大学出版社出版。

魏爱莲的研究领域也扩展到书籍出版传播史、传教史、明清家族史等。她认为"出版、传教和妇女这三个话题间是有关联的",关于这一主题的论文确有部分已被译为中文发表,其书籍代表作为《小说家族:詹熙、詹垲与晚清女性问题》(*Fiction's Family: Zhan Xi, Zhan Kai, and the Business of Women in Late-Qing China*,2016),但暂未有中文译本。

除此之外,她还与其他学者合编过关于现当代女性、清代文学、中国教会学院的几部论文选集并发表过关于印刷业和传教士的论文,例如,《中国教会女子大学的国际背景:与美、韩、日的比较研究》、与裴士丹(Daniel Bays)合作编辑的《中国基督教学院:跨文化的连接, 1900—1950》(*China's Christian Colleges: Cross-culture Connections*, 2009)、与孙康宜合作编辑的《明清女作家》(*Writing Women in Late Imperial China*, 1997,暂未有中译本)、与方秀杰合作编辑的《跨越闺门:明清女性作家论》(*The Inner Quarters and Beyond: Women Writers from Ming to Qing*, 2010,中译本2014年由北京大学出版社出版)等诸多著作文章。

二、明清小说研究

1985年以前,魏爱莲的研究重点为整体的明清文学,其中以明清小说为典型。在这一时期的主要代表作品便是《乌托邦的边缘:〈水浒后传〉与明代忠义文学》,它也是魏爱莲的处女作,该书的研究对象是南浔陈忱的《水浒后传》;另外关于明清文学的论文还包括《黄周星想象的花园》《杭州与苏州的还读斋:17世纪的出版业研究》以及《缺乏机械化的现代性:鸦片战争前夕小说形态的改变》等。据此,本节还将介绍魏爱莲的小说研究成果中的小说评注与小说形态改变。值得注意的是，魏爱莲的明文学和清文学研究内容略有不同，前者注重明遗文学和小说评注，而后者多集中研究女性小说（以《红楼梦》续书系列、《镜花缘》为代表性研究成果）。

（一）小说评注

作者关于小说评注的见解主要是对于陈忱的《水浒后传》中陈忱的观点与同为明遗民的金圣叹（1601—1661）的评注手法在其小说中的体现。据她本人介绍："当讨论中国小说批评在金圣叹等人的影响下是如何形成的时，这部小说具有作为例证的价值。"多位书评作者（Robert E. Hegel，Carig Clunas，R. Keith McMahon，et al.）都意在突出魏爱莲在《边缘的乌托邦》中对小说评注进行的研究，此书暂无中译本。

关于小说评注的主要内容主要出现在第四章和第五章。第四章主要研究的是：小说评注对不同的《水浒传》评论家，特别是金圣叹而言，是怎样作为一种小说分析法体现其作用的。金圣叹非常肯定"评书"的重要性，他在《水浒传序一》中说评书的目的是"通作者之意，开览者之心"，在作者和读者之间架起一座心灵的桥梁，强调读者和作者之间的对话。这也解释了陈忱在文中创造"评论家"这一角色的目的所在。但她认为陈忱并未完全继承金圣叹的"分析"手法，尽管陈忱已经从传统的"文学模仿（mimesis）"创作手法转向了强调作者角色。陈忱在作品中的评注手法增添了一种"自省（self-observation）"。这种"自省"穿插在文章情节和作者评注中。这种自我意识的添加，或许是陈忱逃避社会现实的一种方式和对他心目中理想的国度的希冀。魏爱莲本人也提出了文学创作中的这一新现象很有可能在17世纪的中国达到了一定程度。

在第五章中，魏爱莲逐一分析了金圣叹的15个叙事技巧是否为陈忱所借用，其中之一便是《水浒后传》并未遵循母本按照时间顺序叙事的方法，倒插法（15个叙事方法之一）便为最好的证据，但魏爱莲认为这种叙事方式打破了章回小说各个章节之间的独立性。在这一章节的最后，作者又深入讨论了陈忱是用了"反语"的方式将小说以"建业暹罗，成家立业"的方式终结。她认为陈忱心目中的英雄应该有为祖国鞠躬尽瘁的觉悟，而不能有"娶妻生子"的想法。这也正好符合了陈忱在小说中具备的"作者"与"评论家"的双重身份。

（二）著作的不足之处

在《乌托邦的边缘》这本书中，魏爱莲几乎做到了面面俱到，几乎所有的细节都被她赋予了重大意义。然而,这样的分析也难免会有过度解读的嫌疑,尤其是她对陈忱思想的诠释就难免有些牵强。另外一点便是书中细节赘述、重复说明反倒有损书的价值,比如,魏爱莲多次用"转折"的方式来解释清朝统治者的迫害是导致陈忱在创作《水浒后传》时反复斟酌小说内容的原因。实际上,这里只需告知读者小说的创作环境与故事背景不一致即可。除了这些遗憾,《乌托邦的边缘》一书依旧是一本新颖的发人深省的文学研究作品,尤其值得对中国文学有兴趣的学者去阅读。

三、女性小说研究

在20世纪初的思想家看来明清女作家的作品无足轻重。直至1985年,胡文楷的《历代妇女著作考》出版后,这一领域才受到了广泛关注,魏爱莲借此机会将研究方向从以男性文学为主的明清文学转向了女性文学,但这在20世纪70年代仍是少有的研究课题。胡文楷的《历代妇女著作考》明确表示:清代妇女之集,超轶前代自,数逾三千……汉魏以迄近代,凡得四千余家。单从数字来看似乎魏爱莲对清朝妇女文学的研究是大有价值的,然而结论远非如此。

(一)女性小说研究背景

实际上,20世纪90年代,北美对中国女性文学研究的主要潮流是在诗词方面,而魏爱莲却特立独行,将研究重点放在了与小说有关的妇女文学上。要指明的一点是,在中国传统的文学领域,即便是以男性为主导的文学层面上,"小说"从来都是"难登大雅之堂"的文学形式,更不用说处于弱势的女性文学中关于小说的阅读创作。另一阻力便是闺阁礼数与传统观念,大家闺秀当然不愿被白话小说这类文体玷污自己的高贵声誉,而普通的封建女性也一直被"三从四德"这样的行为准则道德规范所约束。即便是在小说发展的高潮期,女性作家也竭力隐藏自己与小说的联系:一是声称与男性"联合写作"(梁德绳续写《再生缘》),二是销毁创作小说(汪端的《元明逸史》),三是掩藏小说志趣(恽珠),四是"赠送"文学版权(王端淑在《吟红集》中的篇章),等等。

在魏爱莲看来,女性小说的出现并不是稳步推进的。魏爱莲也曾解释过在17世纪中国女性文学发展起来的原因:一是女性从私塾中接受教育,二是女性通过书信和其他方式彼此联系,三是时尚的影响。而这些因素在经历过朝代变化和帝王更替后却有了变化。除了女性之间保持密切联系这一因素外(通信对象已将妓女剔除且范围变小)，19世纪时取而代之的是出版市场与印刷文化的发展，男性文人如袁枚、陈文述的鼓励与倡导，乃至邮驿制度的发展。

另外，女性受众群体数量也出现了上升的趋势。魏爱莲认为作者和刊刻者越来越努力地把女性包含在预期的读者中。证据之一便是《红楼梦》及其续作，《红楼梦》中细致的女性刻画和一系列续书中对女性阅读方式特殊性的认可都使得女性读者的地位变得越来越重要。作者甚至考虑到了传教士对这一现象所起的作用，其中有一点值得注意：传教士针对的读者显然是上层社会中已经拥有相当文化水平的女性。这也就与魏爱莲选择研究闺秀而很少研究其他阶级的写作有关。

（二）小说研究成果——《美人与书》

《美人与书》一经出版便有意略去其他形式的女性文学，这也因作者在女性文学上的研究时间跨度大（明朝至“五四”运动）、题材广（小说、传记、题词、诗词等），所以该书将女性文学的重点放在19世纪（明清之际还是出现了三次显而易见的高潮：一次在晚明前清，一次在18世纪末19世纪初，还有一次在晚清）女性章回小说。

这本著作分为两个部分，共8个章节。在第一部分“19世纪早期的女性读者”中，作者从“共时性”的角度对19世纪早期女性和小说关系的一个方面进行解释，揭示了19世纪才女与小说“结缘”过程中的种种艰辛和复杂图景。第二部分为“作为小说作者和形塑者的女性”，作者以《红楼梦》的系列续作为中心，从“历时性”角度讲述女性写作（而非阅读）。在这两部分中，关于小说作家的研究作者都给予了单独的阐述，而且关于第二部分《红楼梦》续作研究，魏爱莲在《1769年的曹雪芹、高鹗与〈后红楼梦〉》（周健强译）中也给出过特殊说明。从著作中可以看出，作者对顾太清的《红楼梦影》作出了很高的评价，也将它作为女性小说高潮期的典型。细节之处，作者也注意到《红楼梦影》的时效性，这体现在它与王妙如（1900—1936）的《女狱花》（1904年初版）的民族情绪对比上，魏爱莲认为《红楼梦影》和其他为其铺垫的续作都是自娱自乐，而非倡导某种变革，多是基于传统闺秀文化的理念，而且这两者在美学特征和出版方式上也因时代的变化而相距甚远。在时间上，王妙如的《女狱花》便属于晚清，显然，作者也有意在此书结尾部分引出了小说发展的第三个高潮期。

（三）小说研究的不足

《美人与书》是首次对中国女性与小说的关系作出全面分析考察的著作，具备丰富的学术价值。然而从这本著作到一系列研究论文,不难看出其中掺杂了作者在不同情况下的众多推测与想象。当然,在明清时代,无论是白话小说还是女性文学都不曾公然流传于世,这也就造成了文献资料的缺失和不足,要想串联起这样的历史并加以分析,的确须依赖于推测想象。这也造成了对该书的质疑,比如,尽管魏爱莲发现不少才女互通书信的资料,但依然无法证明她们是否真正组成了写作团体,进而形成一个影响广泛的闺秀文学网络。但这并没有降低该书的研究价值,相反却推动了下一阶段的研究方向。

四、结语

魏爱莲在明清文学上的研究重点保持在有关小说题材的研究上,尤其是在女性小说的研究上已卓有成就。在研究伊始,她就显现出对文学小说的兴趣,比如在处女作《乌托邦的边缘:〈水浒后传〉与明遗民文学》中对"小说评注"的研究。魏爱莲曾表示她的关于女性文学的著作意在反对对明清女作家的贬低,认为现存的明清女作家的作品中有强大的意志力和适应力。1985 年胡文楷的《历代妇女著作考》出版,魏爱莲便就此转向有关性别的小说研究,《美人与书》就此问世。虽然书中不少地方有"想象历史"的嫌疑,但是单从它的研究历程来看,此书无疑是具有开创性的著作。在小说与妇女史这两个领域上,魏爱莲教授的《美人与书》称得上是开山之作。而她井然有序的研究必然也会给我们带来更多方向(明代文学、女子教会学校)的作品。

参考文献

[1] 赵红娟,魏爱莲. 小说、性别、历史文化——美国汉学家魏爱莲教授访谈录 [J]. 浙江大学学报(人文社会科学版),2018,48(2):194-199.
[2] 卢永和. 论金圣叹文学批评的读者观 [J]. 肇庆学院报,2004,25(3):37-39.
[3] 魏爱莲. 晚明以降才女的书写、阅读与旅行 [M]. 赵颖之,译. 上海:复旦大学出版社,2016.
[4] 胡文楷. 历代妇女著作考 [M]. 上海:上海古籍出版社,1985.
[5] 马勤勤. 历史无声却有痕——评魏爱莲教授《美人与书:19 世纪中国的女性与小说》[J]. 妇女研究论丛,2018(4):122-128.
[6] 魏爱莲. 佳丽与书籍:19 世纪中国女性与小说 [J]. 复旦学报(社会科学版),2015,57(6):31-36.

[7] 魏沛娜. 对话美国汉学家魏爱莲：传统中国女性有很多话可说 [N]. 深圳商报, 2016-08-28(2).

[8] 魏爱莲. 缺乏机械化的现代性:鸦片战争前夕小说形态的改变 [J]. 赵颖之, 译. 浙江大学学报(人文社会科学版), 2010, 40(2): 51-61.

[9] 魏爱莲. 美人与书: 19 世纪中国的女性与小说 [M]. 北京:北京大学出版社, 2015.

[10] 宋明炜. 平淡中的坚实与从容——专访魏爱莲教授 [A]. // 郑文惠、颜健富主编. 革命·启蒙·抒情: 中国近现代文学与文化研究学思录. 北京: 生活·读书·新知三联书店, 2014.

薛爱华及其对中国唐代的研究

摘要:美国汉学家薛爱华(Edward Hetzel Schafer)精通汉语,对中国唐朝尤其是唐代的舶来品和诗歌研究颇深,他用独特的研究视角阐述了唐朝舶来品的引入、发展,以及这些舶来品对唐朝的政治、经济、生活等方面的影响。同时,他用分类的方式以及优美的语言向读者介绍了唐朝的文化,架起了沟通中外的文化桥梁。

关键词:汉学家;舶来品;唐朝诗歌;文化交流

一、薛爱华简介

薛爱华(Edward Hetzel Schafer,1913—1991)生于美国华盛顿,1938年获伯克利加州大学人类学文学学士学位,1940年获夏威夷大学文学硕士学位。薛爱华不仅精通汉语和日语,而且掌握法语、德语、意大利语、西班牙语等多门语言。1941年12月7日,珍珠港事件爆发,美国宣布对日宣战。薛爱华应征入伍,由于他掌握日语,被安排到美国海军情报局,负责破解日本海军密电。第二次世界大战结束后,他于1946年退伍,当时,他已经是一位海军少校。退伍后,他重返大学,在1947年获伯克利加州大学东方语言哲学博士学位。薛爱华于1947年成为加利福尼亚大学的东方语言讲师,于1947—1953年任加利福尼亚大学东方语言助理教授,1953—1958年任加利福尼亚大学副教授。薛爱华不仅擅长东方语言哲学,而且熟悉中国古代文化,尤其是对唐代的诗歌和道教研究颇深,有自己独到的见解。由于精通东方语言哲学、拥有丰富的教学经验,从1958年起薛爱华开始担任加利福尼亚大学伯克利分校东方语言哲学教授,后被授予伯克利最高荣誉奖,直到1984年正式退休。1940—1985年期间,薛爱华共写过10多本著作和110多篇论文。例如《撒马尔罕的金桃:唐朝的舶来品研究》(*The Golden Peaches of Samarkand: A Study of T'ang Exotics*,1963)、《神女:唐代文学中的龙女与雨女》(*The Divine Woman: Oregon Ladies and Rain Maidens in T'ang Literature*,1973)、《步虚:唐代奔赴星辰之路》(*Pacing the Void: T'ang Approaches to the Stars*,1977)、《唐代的茅山》(*Mao Shah in T'ang Times*, 1980)、《时间之海上蜃景:曹唐的游仙诗》(*Mi-

rages on the Sea of Time: *The Taoist Poetry of Ts' ao T' ang*, 1985)、《朱雀鸟:唐代南方的景象》(*The Vermilion Bird*: *T' ang Images of the South*, 1985)。

二、薛爱华对唐代外来文明的研究

舶来品(从外国进口的货物)不仅反映了唐代的社会物质生活,而且深刻地融入了百姓的精神世界,揭示了当时社会文化的方方面面。

(一)舶来品的种类、如何引入唐朝及其对当时的影响

唐朝的舶来品种类极其丰富,涉及人们生活的各方各面。在《撒马尔罕的金桃——唐代舶来品研究》中,薛爱华研究了18种类型、100多种具体物品的舶来品,包括家畜、药物、纺织品、宝石、宗教器物、毛皮和羽毛、植物、颜料和书籍等。舶来品进入唐朝有两种途径:陆路和海路。陆路主要有3条线路,除了我们所熟知的丝绸之路以外,还有一条从东北各民族运往唐朝的线路,"东北诸民族以及朝鲜的物产通过森林地区和辽阳平原,向南到达渤海湾沿岸,然后运抵位于高山和大海之间的狭长走廊上的长城尽头,即地势险峻的战略要地卢龙城"。除了这条陆路以外,还有一条"从四川经过现在的云南省境内,进而分作两条道路,通过缅甸境内上伊洛瓦底的令人毛骨悚然的峡谷,然后再前往孟加拉"。除了陆路运输以外,唐代的对外交流还有海路运输,"定期往来于印度洋与中国海的大船,将急切的西方人载往灿烂的东方"。不论是中国产品出口到国外还是外国产品进口到中国,陆路和海路都起着非常重要的作用,往来于海上和陆上的运输线路将中国唐朝与外界之间紧密地联系在一起,不仅促进了双方的经济发展,同时也无形中传播了彼此的思想观念、生活习俗、宗教信仰等文化的各个方面。

薛爱华在《撒马尔罕的金桃——唐代舶来品研究》中提道:"舶来品的真实活力存在于生动活泼的想象的领域之内,正是由于赋予了外来物品以丰富的想象,我们才真正得到了享用舶来品的无穷乐趣。"说起舶来品带给人们丰富的想象,这里不得不提《撒马尔罕的金桃——唐代舶来品研究》,之所以将舶来品比喻为撒马尔罕的金桃,就是因为金桃是公元7世纪撒马尔罕进贡给唐朝的贡品,因其神秘而独特,仅存在于人们对其美好的向往和期待的想象之中,所以它代表着人们对美好事物的追求。薛爱华用这种生动形象的比喻激起了读者了解唐代外来文明的兴趣,给人以无限遐想。

舶来品的种类繁多,范围广泛,对唐代产生了影响。从经济上来说,这些舶来

品促进了唐朝与外来国家之间的经济交流，形成了一种互利模式：唐朝向外国出口中国的茶叶、丝绸、瓷器等物品，从外国进口各式各样的、对唐朝百姓生活产生各种影响的舶来品。在某种程度上，这种模式使得唐朝商业繁荣，人民也过上了较好的生活。从政治上来说，唐朝疆土面积不断扩张，周围小国通过进贡来促进与唐朝的友好政治关系。例如，“西域城郭诸国也是向唐（进贡）良种马的地区之一。其中龟兹曾几次贡马……地处唐朝西南边疆，正在兴起的南诏国，也在贞元十一年（795 年）遣使向朝廷贡献了六十匹品种不详的马”。再比如，“伊吾的香枣，龟兹的巴旦杏以及安南的香蕉和槟榔”。大大小小的舶来品也给人们的生活带来了一定的影响，食品、药物等深深地融入了百姓的生活当中。比如，“菠菜就是泥婆罗国——在贞观廿一年（647 年）贡献的许多稀有的移植蔬菜之一”。因为在唐朝人看来，菠菜有解酒等功效。除了一些蔬菜以外，还有一些调味品。比如来自摩揭陀国的胡椒。“中世纪胡椒的医疗价值，与其作为香料的价值几乎是同等重要的。胡椒的医疗价值主要在于它具有刺激功能，能够刺激肠胃分泌，并以此来帮助消化。”药物也是唐朝最大的舶来品之一，例如底也迦。“乾封二年（667 年），拂林国使臣向唐朝皇帝献‘底也伽’，这是一种货真价实的万能解毒药。”除了食品、药物以外，还有纺织品、木材、颜料...... 舶来品从不同的方面对唐朝起着不同的作用，不仅给唐朝经济带来了繁荣，而且巩固了唐朝的对外关系，同时也对寻常百姓生活产生了深刻的影响。

（二）薛爱华对唐朝外来文明研究的特点

薛爱华在研究唐朝外来文明的时候，引用了大量的史料，涉及范围极广，不仅包括《唐会要》《旧唐书》《新唐书》《资治通鉴》等，而且将小说、诗歌、传说等也融入其研究。在《撒马尔罕的金桃——唐代舶来品研究》一书中，每一章都有大量的诗歌与薛爱华的研究相呼应。例如第六章研究毛皮和羽毛时，就有“错落金锁甲，蒙茸貂鼠衣”的诗句来描述貂皮这一舶来品的进口；再如第十章中研究香料时，也引用了“红露想倾延命酒，素烟思爇降真香”的诗句等。虽然说薛爱华引用了大量的史料，但是因为有些史料年代久远，出现了一些传抄错误，所以书中相应出现了一些小的错误。

薛爱华在介绍和研究舶来品的时候都要在对应的主题前面加一些和舶来品相关的外国诗歌或者文学作品选段，从而使西方读者能很自然地进入状态，搭建起了中西文化沟通的桥梁，让西方读者更加了解古代中国。例如在介绍外来植物的时候，薛爱华就在相关章节前引用了弥尔顿《失乐园》里面有关植物的一首诗。

薛爱华在研究唐朝外来文明的时候将舶来品一一进行分类并且分别介绍了舶来品的来源、发展和影响。其中最具有独特视角的是薛爱华将“人”也视为舶来品，并对其进行了较为深刻的研究。例如战俘、奴隶、乐人和舞伎、侏儒和人质等。有些人并非自愿进入唐朝本土，而是由于历史环境的影响被迫进入的，但是他们在不同程度上都发挥着不同的作用。这些独特的视角吸引了更多的读者。

三、薛爱华对中西文化交流的促进作用

薛爱华的研究促进了中西文化的交流。其著作《撒马尔罕的金桃——唐代舶来品研究》《朱雀鸟：唐代南方的景象》等，不仅让西方读者领略了中国古代尤其是唐代诗歌等文学的风采，同时也使得海外读者认识到唐宋的相关历史和文化以及外来文明和中华文明之间的相互影响，这进一步使中国古代文化走向世界。其次，薛爱华深厚的语言学功底使他能够熟练地处理中文史料中外来语的相关内容，这在很大程度上避免了翻译不精确的问题。在《神女：唐代文学中的龙女与雨女》一书中，薛爱华先生对于 Frodsham 翻译的李贺的一首唐诗有着不同看法，具体如下。

原文	Frodsham	Schafer
巫山小女隔云别	The small woman of Shaman Mountain goes off screened by clouds:	The rainbow goddess leaves the shamanka's altar, darting through the clouds.
春风松花山上发	The winds of spring shoot out pine flower—lets on the mountain.	Her ardent body bursts the pine catkins as she passes.
绿盖独穿香径归	Alone she pierces the green canopy—a fragrance heading straight for home:	She swoops up through the forest canopy, trailing sweet odors.
白马花竿前孑孑	white horse and flowered pole go before—thrusting and thrusting.	She is preceded by a ceremonial steed, rigged with her flowery insignia.
蜀江风澹水如罗	The wind is mild on the Kiang in Shu, the water like netted gauze—	The great Yangtze by her home in the gorge is calm.
堕兰谁泛相经过	Yet who else could make sail on a fallen orchid to cross over it?	Yet who will risk crossing it on a flower petal to meet her—only the goddess is capable of the feat.
南山桂树为君死	The cinnamon trees on a southern hill lie dead for that lady	The evergreen cinnamons perish at her approach—the touch of the love goddess is dangerous.

续表

原文	Frodsham	Schafer
云衫浅污红脂花	Whose cloudy blouse is slightly stained from pink pomade blossoms.	Her light shift is inevitably spotted with safflower, from which the rough of courtesans is made.

（来源：章琦.《神女》与中西文化的融合——以薛爱华对中古音和唐诗的理解为中心 [J]. 中国韵文学刊，2012，26（4）：111.）

“不难发现，Frodsham 的译本比薛爱华的（译本）略输文采。更为重要的是，他们的翻译视角截然不同，薛爱华困惑的原因亦在于此。Frodsham 忠实于原诗，不断变换叙事主体；薛爱华始终以“巫山小女”为中心。应该说，薛爱华的译本更符合西方的审美习惯。”[4] 单从翻译角度来看，薛爱华先生在翻译的时候，将“小女”这一形象融入每一句诗歌，使诗歌浅显易懂，这在一定程度上可以让外国读者对中国文化尤其是诗歌文化有更加深入的了解，从而进一步促进了中国文化的海外传播。

四、结语

薛爱华对汉学的研究带给我们很多启示。薛爱华正是因为大量阅读史料，严谨治学，才得以写出一系列的巨著。所以，我们在进行学术研究的时候，也要向他学习，不仅要阅读大量文献、书籍，而且还要有脚踏实地的认真态度。只有这样，我们的研究才能更加精深。同时，我们还应勤加思考，将中西文化联系在一起，求同存异。我们应明白各国文化没有优劣之分，在文化交流时，既要尊重本民族文化，又要尊重别的民族文化；既要吸收外来文化的优点，同时又要传播本民族的优秀文化。只有这样，中华文化才能走向世界，中西文化才能更好地交流融合。

参考文献

[1] 程章灿. 四裔、名物、宗教与历史想象——美国汉学家薛爱华（Edward H. Schafer）及其唐研究 [J]. 陕西师范大学学报（哲学社会科学版），2013（1）：86-92.

[2] 薛爱华. 撒马尔罕的金桃——唐代舶来品研究 [M]. 吴玉贵，译. 北京：社会科学文献出版社，2016.

[3] 李贺. 三家评注李长吉歌诗 [M]. 上海：上海古籍出版社，1998.

[4] SCHAFER H.The divine woman：dragon ladies and rain maidens in T'ang literature[M]. Berkeley and Los Angeles：University of California Press, 1973.

[5] 章琦.《神女》与中西文化的融合——以薛爱华对中古音和唐诗的理解为中心[J]. 中国韵文学刊, 2012, 26(4):111.

《内闱:宋代的婚姻和妇女生活》:伊沛霞对宋代妇女婚姻生活的研究

摘要:宋代女性在婚姻和家庭中的生活及其地位一直是宋代史学者的关注点,然而大多数史学家倾向于在传统封建制度下研究宋代女性的地位和生活特点。伊沛霞(Patricia Buckley Ebrey)的著作《内闱:宋代的婚姻和妇女生活》被誉为海外中国妇女史研究的开山之作。本文通过《内闱:宋代的婚姻和妇女生活》一书来分析宋代妇女在婚姻、家庭中的地位和夫妻关系方面的特点。

关键词:宋代妇女;婚姻;家庭地位;夫妻关系

一、伊沛霞简介

伊沛霞(Patricia Buckley Ebrey),1949年出生,1985—1997年任美国伊利诺伊大学东亚研究及历史学教授,1997年至今执教于华盛顿大学历史系。今在东亚研究领域中致力研究宋代的社会文化史,创作出了丰富的文化著作,代表著作为《早期中华帝国的贵族家庭:博陵崔氏个案研究》(*The Aristocratic of Families of Early Imperial China—A Case Study of the Po-Ling Ts'ui Family*)、《内闱:宋代的婚姻和妇女生活》(*Marriage and the Lives of the Chinese Women in the Sung Period*)、《积聚的文化:徽宗皇帝的收藏》(*Accumulating Culture: The Collections of Emperor Huizong*)、《剑桥插图中国史》(*The Cambridge of Illustrated History of China*)、《中华文明史资料》、《中国唐代和宋代的宗教与社会》等。其社会学著作《内闱:宋代的婚姻和妇女生活》于1995年获得约瑟夫·P.利文森奖,被誉为海外中国妇女史研究的开山之作。《内闱:宋代的婚姻和妇女生活》向人们展示了一幅内容异常丰富的画卷——宋代女性的内外之别以及祭祀庆典、安排婚嫁、侍奉公婆、养育后代等生活栩栩如生地呈现在我们面前,足以体现出妇女史是动态的历史,是富有多种可能性的历史。2014年,为了表彰伊沛霞在学术研究上的贡献,美国历史学会为她颁发终身成就奖。

二、宋代妇女婚姻生活

对于宋代妇女的研究,大多数学者及各学术著作的作者普遍认为女性在宋代的地位有以下特点。第一,相对于以往朝代的女性,宋代女性的地位是低下的。在先秦时期的很多典籍中男性多被视为阳性,象征阳刚之气;而女性被视为阴性,象征阴柔绵软。这种比喻造成了当时社会极为看重男性地位的思维方式,认为男性应该驾驭女性,并产生了男尊女卑的思想。这种男尊女卑的思想在宋代一夫多妻的制度下更是体现得淋漓尽致。第二,宋代女性不仅地位低下,而且其身心健康在更深程度上受到了残害和束缚。根据现代一些学者的考证,宋代社会逐渐兴起了对女性裹足的要求。这一要求在程朱理学时期变得更加严酷,而到了明清理学时期达到了前所未有的高度。第三,宋代社会上逐渐出现了对妇女贞操方面的要求。新婚之夜检查新娘的贞操也成了宋代婚礼中常见的仪式。经过宋代各社会阶层的不断严格要求,宋代妇女的精神和肉体都在封建礼教的控制下受到严重的打击和禁锢,封建礼教不仅给宋代女性的心态带来了消极的影响,也使当时的整个社会形态产生了变化。

虽然多种现象可以说明宋代女性地位日益低下,但伊沛霞在《内闱:宋代的婚姻和妇女生活》中对封建思想的诠释有别于以往学者,她从全新的视角向我们描述了宋代普通女性在家庭生活中的情况,使那些被女性地位研究者忽略的死角与盲区客观而生动地呈现在我们面前。

对伊沛霞来说,宋代妇女是善于回应和参与的行动者,而不是被历史遗忘的陪衬者,所以她不满足于那些千篇一律地谈论妇女从属地位的文章,而是致力于解开宋代妇女谜一般的复杂生活史。她在书中写道:"宋代妇女生活的语境既包括权力的结构,也包括帮她们给自己定位于这些权力结构之内的观念和符号。它嵌在历史之内,其特征由社会、政治、经济和文化进程塑造并反过来影响那些进程。"因此,在《内闺:宋代妇女的婚姻和生活》中,伊沛霞阐述了妇女研究史的意义,认为它不仅仅展示给我们历史上的女人,更是促进我们重新审视我们对历史和历史进程的理解。带着这样的情怀和目的,伊沛霞将最为普通也最为常见的婚姻和家庭中的女性作为研究对象,研究了家庭法、财产法、家庭礼仪和儒家思想,从多角度、多层面了解了宋代女性的群像,向我们展示了宋代妇女的婚姻家庭,阐述了宋代妇女在婚姻中和家庭中不同的地位特点,并考察了已婚女性与丈夫之间的关系。

三、宋代妇女在婚姻中地位的变化

在婚姻选择方面,伊沛霞认为宋代女性的地位可以间接影响其婚姻幸福程度。虽然受宋代婚姻法和当时社会环境的影响,“父母之命,媒妁之言”使得宋代女性对自己的婚姻没有太多的话语权和选择权,但其在家中的地位可以对婚姻有一定程度的影响,即如果父母比较疼爱某个女儿,那么他们会在婚姻选择上较多地征求自己女儿的意见,也会将女儿的终身幸福作为衡量婚姻的主要标准。例如,“程氏(1061—1085)25岁还没有出嫁。她去世以后,她的叔父程颐苦心解释道:“幼而庄静,不妄言笑;风格潇洒,趣向高洁;发言虑事,远出人意;终日安坐,俨然如齐;未尝教之读书,而自通文义。举族爱重之,择偶欲得称者。其父名重于时,知闻遍天下,有识者皆愿出其门。访求七八年,未有可者。既长矣,亲族皆以为忧,交旧咸以为非,谓自古未闻以贤而不嫁者。不得已而下求,尝有所议,不忍使之闻知,盖度其不屑也。母亡,持丧尽哀,虽古笃孝之士,无以过也,遂以毁死。”

此外,虽然宋代女性不能选择自己的夫婿,但父母择婿标准的变化也反映了宋代女性在婚姻中地位的提升。有别于唐代上层家庭门当户对的想法,宋代父母在择婿时更看重男子的才干,公认的最好的女婿人选是在科举考试中发挥出色、即将担任高官的人。这不仅是为自己女儿选配偶,还包括选家庭和前途,换言之,自己女儿的福祉与婚事利害攸关。所以如何找到有才干的女婿成为当时聊天时的主要话题。例如,书中提到1180年郑景寔拜访高官陈俊卿(1113—1186)后,陈俊卿惊异于郑景寔6岁儿子郑钥的天才,遂提出要郑钥作女婿。由此可见对那些将来可能大有成就的男子,宋代父母会在他们尚未被别人发现之前就急忙去促成一件婚事。更有的父母为了缓解忧虑或确保择婿的正确性,还会求助于算命先生,请他看一看自己做的决定好不好。宋代很多富裕的家庭甚至会为有前途的青年增加嫁妆,例如,“黄左之1180年赴京城赶考,遇见一位姓王的富绅。二人成为好朋友,王不但供给黄左之生活费用,还许诺如果黄左之通过了考试,就把女儿许配给他为妻。黄左之中了举,得到新娘和五百万钱的嫁妆”。因此,虽然宋代女性在婚姻选择权方面没有绝对的主动权,但其父母在择婿过程中更愿意考虑女儿的意见,这足以证明了宋代女性在婚姻选择方面地位有所提升。

在离婚再嫁问题上,虽然《内闱:宋代的婚姻和妇女生活》中提到“与前朝和后世相比,宋代妇女因丧服或离婚而再婚都并非更不合法。强烈反对寡妇再婚的法官也不得不维护再婚的合法性”,并以有过3个丈夫的区氏的实例来很好地证明宋代女性的离婚再嫁权,但伊沛霞认为,虽然在法律的层面宋代女性离婚再嫁完全由自己决定,但在当时那个深受封建制度影响的社会环境里,女性离婚再嫁终究不值得骄傲,当时会受到人们道德层面的遣责。因此,宋代女性仍有着极力反对再婚的情绪,毕竟在很多人看来与另一个男人组成新的家庭会感到有些不洁和低贱。例如:张九成(1092—1159)写到他的第二个妻子马氏曾结过婚。她前夫死后留下她和小孩子,她娘家的父母催促她回去准备结第二次婚,对她说:"吾老矣,汝不再适,吾死不瞑目。"但是她确实不愿意顺从这个主意。"既成婚,翌日吾妻面壁掩涕者终日,余问之再三,曰:'君至诚君子也,妾不敢不以诚告。妾吾氏姑高节懿行,当于古列女中,求妾欲与之同志弗克。今已适君矣。'"

另一方面,书中提到了蔡氏女儿在接连为丈夫和公公守孝后被亲生母亲和兄弟逼迫改嫁,最终暗自服毒自尽一事,可以看出宋代从社会到法律给予女性离婚再嫁的权利反而给当时的女性带来了更多的内心痛苦。赋予女性离婚再嫁的权利并不能代表女性自身的意愿,这在当时的社会终究不值得骄傲,且走进二次婚姻的女性需要面对的感情冲突远远超出了人们的想象。

四、宋代女性在家庭中地位的变化

在女性嫁入夫家之后,便由之前的女儿身份转变为他人之妻,女性自此进入了人生中的第二大阶段。而由于古人向来有着男尊女卑的封建思想,因此婚后妇女的各种行为都受到了封建礼教的限制和约束。但在《内闱:宋代的婚姻和妇女生活》第七部分中提道:"好的妻子不是好丈夫的翻版。相反,她全心全意接收社会性别差异,视自己的角色为'内助'。她不仅小心翼翼不冒犯丈夫和公婆的特权,还做好任何需要做的家务事,使他们生活得更舒适。"由此可以看出,宋代女性在婚姻生活中的地位逐渐上升。

这种内助的角色在伊沛霞看来首先是作一个尽本分的儿媳。尽儿媳的本分除了奉献全部精力去讨好该讨好的每个人外,在婆家遇到经济困难时慷慨大方地拿出娘家陪嫁的嫁妆也会受到丈夫及其家人的赞许。例如,"戴氏(1161—1205)嫁到一个生活朴素、家境一般的家庭,遂卖掉一些衣服、耳环补贴家用,她的公公对她赞赏有加,说她'真吾家妇也'。"其次,这种内助的角色还体现在成功胜任家庭的管家。宋代女性在婚后就开始掌管家庭内部的财政,尤其是一些上层社会的大家庭会赋予刚进门的新娘管理家里财政和仆人的权利。做得非常成功的女性,使丈夫的生活非常舒适,使他们可集中精力做生命里真正重要的事,如学习,进行学术研究，或为官作宦等，因此她们会得到丈夫的赞赏与夸奖。当李友直（1134—1199）的妻子史氏（1139—1197）59岁去世时，他请人在墓志铭中写有“吾游太学久乃得仕。未尝屑意家事。凡出入有无、丰约之调度，皆吾嫔处之，不以累我”，从中看出对妻子史氏管理方面才能的赞美。

后来随着宋代经济的发展以及线和绸布等纺织品市场的扩大，这种内助角色还体现在女性对社会生产活动参与度的提升。受到成熟市场对各种纺织品的需求的刺激，宋代家庭开始大范围种植棉花，妇女积极地充当纺线工、缫丝工和织布工，为自己带来了生存的技能，也给全家带来了一定的经济收入。但是纺织品生产完全是家庭工艺，都是在家长的统一指挥下进行的，所以并不能证明女性的家庭地位就自此提升了，但女性更多地参与社会生产活动却可以直观反映出其对家庭而言的内助角色。

五、宋代夫妻关系的变化

唐代墓志中强调夫妻的上下尊卑关系，要求男外女内、夫主妇从，而宋人遵循传统礼制的方向，对夫妻关系作了进一步的阐述与规范，意在建立从整体秩序上讲尊卑有序、内外有别，而又同时互敬互爱、期于长久的理想两性关系。这种关系既不要有难舍难分的感情，也没有吵吵闹闹的不宁，不会因为夫妻关系不好而影响了两“姓”之间的结盟关系，也不至于因为夫妻关系太好而消磨了丈夫向外发展的心志。但在伊沛霞看来，宋代的夫妇其实像其他任何地方一样，根据夫妻之间的相爱程度分为相敬如宾型、伴侣型和矛盾型。

相敬如宾型夫妻关系最典型的特点就是十分内敛、相敬如宾。宋代的夫妻关系似乎倾向于夫妻对等的伙伴式相处模式。在很多时候妻子可以参与外事，并就丈夫的事业情况出谋划策，而丈夫也会尊重并听取妻子的意见，采纳合理的建议，夫妻间并无严格的主从之别，较为和谐与平等，因此很多夫妻即便结婚几十年，他们之间的相处依然是既内敛又客气。这种相处方式看似是婚姻，实则是丈夫将妻子作为自己的贤内助，例如，“可爱的妻子像傅氏（1097—1148）那样，在丈夫出门赶考时给他一些首饰做盘缠，分手时对他说：‘往卒业，为亲荣。无以家为恤’”。而即便是李觏（1009—1059）与陈氏（1015—1047）的婚姻延续了17年之久，在陈氏去世后李觏对她的评论也只有“觏行四方，未尝与谋，亦不敢问。在家有所啬，独居常数月，然不见怨望”，仅仅描述了妻子从不抱怨的性格，而没有太多的感情思念。

与相敬如宾相反的便是伴侣型夫妻。伴侣型夫妻关系即所有赞美各处一方的夫妻生活的作者,常对双方怀有共同的知识兴趣和精神财富的婚姻流露正面的评价。夫妻双方的关系若是伴侣型的,那么女性只有受过良好的教育才能与丈夫有更为密切的知识联系,才能突破先前相敬如宾关系中贤内助的角色,成为丈夫精神上的伴侣。被后人誉为最著名的伴侣型婚姻之一就是宋代李清照和赵明诚的婚姻。此外,梅尧臣和妻子谢氏、苏轼和第一个妻子王弗之间的交流在当时的社会都体现出伴侣型婚姻的特点。虽然在当时,封建社会的各种因素都不利于已婚妇女对丈夫的事务进行参谋评价或进行知识学习,但我们仍然可以从他们身上看到现在社会里才有的理想型夫妻之间的知识性联系。

任何一个朝代、任何一个历史时期的婚姻都不是完全快乐、没有争吵的,所以在伊沛霞看来宋代的夫妻关系除了上文提到的相敬如宾型和伴侣型之外,矛盾型也是宋代常见的婚姻关系。宋代的矛盾型夫妻关系主要体现在妻子的专横和丈夫的粗暴上。即使在宋代,夫妻之间的争吵依然很常见,且他们在争吵时很容易作出比拌嘴和大嚷大叫更过分的事。女人经常直接表达愤怒,生了丈夫的气以后朝任何地位比她低的人发泄,比如妾和婢女;男人则用不同的方式泄愤,最常见的是殴打妻子,就像妻子打婢女一样。在《内闱:宋代的婚姻和妇女生活》书中提到某男人在路上遇见一位面带愁容的女子,她告诉他,“我不幸,丈夫很恶,常遭鞭捶”。从中也可以看出矛盾型婚姻在宋代也是极为常见的婚姻关系。因此,宋代的婚姻关系并不像大多史学家描述的那样男尊女卑、内外有别。相反,宋代夫妻与我们现在一样,因为爱的程度不同而形成了不同的婚姻关系,只是这些关系在封建制度的压制下被深深地隐藏了起来。

六、结语

《内闱:宋代的婚姻和妇女生活》让我们看到了宋代女性婚姻、家庭生活和夫妻关系的变化,让我们可以从全新的视角更客观、更直观地了解普通宋代女性在婚姻选择中地位的提升、在家庭模式中角色的变化以及真实的夫妻关系变化。但任何作品都有一定的缺陷,伊沛霞曾在书中多次提到由于很多现象缺少第一手材料的记载,能找到第一人称的女性的内心想法很难,并且如果伊沛霞能更多地了解男人不在场时女人间的对话,就能找出更多前后不一、充满紧张关系的案例。因此,关于宋代女性的婚姻及生活情况还值得研究者更全面、更客观地去探索研究。

参考文献

[1] 伊沛霞. 内闱:宋代的婚姻和妇女生活 [M]. 胡志宏,译. 南京:江苏人民出版社,2004.

宇文所安与唐诗的故事:他山之石,可以攻玉

摘要:斯蒂芬·欧文(Stephen Owen),中国文学研究(Chinese Literary Studies)领域的美国奇才汉学家,主要研究方向是中国古典文学(Classical Chinese Literature)和比较诗学(Comparative Poetics)。他是美国人文与科学院(American Academy of Arts and Sciences, 1991)院士,哈佛大学詹姆斯·布莱恩特·科南特校级教授(University Professor of James Bryant Conan, Harvard University),于2018年4月26日荣休。欧文从西方人的视角,凭借独树一帜的研究方法和对中国古典诗文与众不同的阐释,吸引了国内外越来越多关注的目光。以"唐诗王国的异乡人"自称的欧文也给自己取了一个具有中国特色的名字——宇文所安。"宇文"是中国少数民族的汉姓,而"所安"则出自《论语》中的"视其所以,观其所由,察其所安"。

关键词:宇文所安;《初唐诗》

一、宇文所安简介

宇文所安(Stephen Owen, 1946年出生于美国密苏里州圣路易斯市(Saint Louis, Missouri), 1959年随家人移居马里兰州巴尔的摩市(Baltimore, Maryland),在那里的图书馆他偶然第一次读到英文版的中国诗选,从此与中国古典诗文结下了不解之缘。

19岁那年,进入耶鲁大学学习的宇文所安自然而然地选择了中国语言和文学专业。字正腔圆、平仄押韵的汉语对于宇文所安这个地地道道的美国人来说,学习起来并不是那么容易。"我初学中国文言文,是在耶鲁读本科时,那时19岁。当时除我之外没有其他本科生学古汉语。20世纪60年代时冷战正酣,美国连学习现代汉语的人都很少。"在学习汉语的基础上,宇文所安开始了对唐诗的阅读和学习。从《诗经》到元曲,在历经两千多年的中国古典诗文中,欧文对唐诗情有独钟。那是一个繁华盛世,闪耀着灿烂的文明之光,诸多杰出的诗人留下了一篇篇

脍炙人口的诗章：自信豪放如“天生我材必有用，千金散尽还复来”；肆意纵情如“白日放歌须纵酒，青春作伴好还乡”；沉郁顿挫如“无边落木萧萧下，不尽长江滚滚来”；从容洒脱如“我生本无乡，心安是归处”。宇文所安从《全唐诗》读起，开始了对唐诗全新的解读。他的父亲曾担心他靠这个研究诗歌的职业难以谋得生计，而他却凭借自己的努力和坚持，在这个领域闯出了一番天地。

1968 年，宇文所安获耶鲁大学中国语言与文学专业学士学位；1972 年，在著名汉学家傅汉思教授（Hans Frankel）的指导下，获耶鲁大学博士学位，并留校任教。1975 年宇文所安的第一本著作——《孟郊与韩愈的诗》（*The Poetry of Meng Chiao and Han Yü*）问世。1994 年宇文所安被聘为哈佛大学欧文·白璧德比较文学讲座教授（Irving Babbitt Professor of Comparative Literature，Harvard University，1994—1997），1997 年被聘为詹姆斯·布莱恩特·科南特校级教授（University Professor of James Bryant Conan，Harvard University，1997—2018）。1997 年起在哈佛大学担任东亚语言文化系教授。在此期间，他的各种著作也一一出版，在前人研究积累最为深厚的唐诗领域，为读者带来了耳目一新的解读：《初唐诗》（*The Poetry of The Early T'ang*）、《盛唐诗》（*The Great Age of Chinese Poetry：the High T'ang*）、《中国“中世纪”的终结：中唐文学文化论集》（*The End of the Chinese "Middle Ages" Essays in Mid-Tang Literary Culture*）、《迷楼：诗与欲望的迷宫》（*Mi-Lou Poetry and the Labyrinth of Desire*）、《他山的石头记》（*Borrowed Stone*）、《晚唐：九世纪中叶的中国诗歌》（*The Late T'ang：Chinese Poetry of the Mid-Ninth Century*（827—860））。他的研究领域也逐渐由唐诗扩展到了中国古典文学。作为一名西方学者，欧文深知自己无法像中国学者那样从中国优秀研究成果中获益的局限，但他也得以从崭新的视角审视与解读唐诗，为唐诗研究注入了新活力。正如欧文所言：“在学习和感受中国语言方面，中国文学的西方学者无论下多大功夫，也无法与最优秀的中国学者相比肩。我们唯一能够奉献给中国同行的是：我们处于学术传统之外的位置，以及我们从不同角度观察文学的能力。”

宇文所安的研究成果也得到了学术界的充分肯定与重视。2005 年他荣获“梅隆基金会杰出成就奖”（Mellon Distinguished Achievement Award，2005）；2018 年，他和斯波义信教授（Yoshinoub Shiba，Japan）一同获得了“唐奖”汉学奖（2018 *Tang Prize Laureates in Sinology*），这是对宇文所安在中国古典文学，尤其是唐诗领域所作贡献的一次极大肯定。对于今时今日所取得的成绩，宇文所安表示“实属侥幸尔”，这是典型的中国式自谦语。

二、宇文所安与唐诗的研究与翻译:文化的相遇

宇文所安认为,对于欧美读者来说,“中国古典诗歌非常需要一位代言人”。从《中国文学选集:从先秦到 1911》(*An Anthology of Chinese Literature: Beginnings to* 1911)被广泛选用为美国大学教材,到《杜甫诗集》(*The Poetry of Du Fu*)问世;从收录先秦到清朝 600 余首文学作品的杰出译作,到厚达 3 000 页的杜诗全译本,将中国古典诗文译介到西方世界一直是宇文所安的工作重心之一。他认为理想的翻译“应该可以在不同传统间移动”。通过翻译,中国读者能够欣赏到的诗歌也可以得到美国读者的欣赏。

唐诗有着多种多样的形式和丰富多彩的内容,但欧美学者普遍倾向于把它们笼统地作为“中国诗”来翻译,也就是类似于“杜甫的诗是中国诗,李白的诗是中国诗,王维的诗也是中国诗。”宇文所安却一直致力于呈现每位作者不同的声音。“我在翻译时非常努力地尝试使每个时期、每种风格、每种流派都各自不同,也让每一个作者听起来都不同。要让一个美国人或英国人一看我的翻译,就立刻知道这是杜甫的,那是苏轼的,而不是其他人的诗。”他表示:“很多不懂中文或中国文化的人觉得,‘中国诗’是一个单一、雷同、死板而概念化的东西,我希望让他们感觉到的,绝非是那样的‘中国诗’,而是一个具有不同声音的完整世界。”

三、宇文所安与杜诗全译本:为人性僻耽佳句,语不惊人死不休

2018 年,《杜甫诗集》(*The Poetry of Du Fu*)——首部杜甫诗歌的英文全译本问世。宇文所安花了 8 年多的时间,最终完成了这本共 6 卷、3 000 页、重达 9 磅(约 4.08 千克)的文学巨著,此书收录了 1 400 多首杜甫的现存诗歌。“如果要与某人共度八年时光,这个人一定要是我喜欢,总能提起我兴趣的。”宇文所安如是说道:“无论多喜爱杜甫,翻译杜甫的诗都是一件很辛苦的工作。我用了八年的时间,所幸完成了。”

对于宇文所安来说,第一次读杜甫的诗至少是 50 多年前的事情了,但无论是 20 岁的他还是 70 岁的他,总能为杜诗所吸引。在宇文所安眼中,杜甫是能和莎翁(莎士比亚)媲美的伟大文学家。他认为,杜甫这样的诗人并不只代表过去,他诗中的很多东西对当今读者仍有启示意义。“在《醉为马坠,诸公携酒相看》中,杜甫写他醉酒后炫耀马术时坠马,成为笑柄。‘人生快意多所辱’,这句诗体现的人性真理,其他诗人写不出来。当知道一千多年以前的杜甫就这样自我解嘲,我们就

不会对自己的类似经历自怨自伤了。”

在这本杜甫诗歌的全译本中，有一些广受好评的诗句，如《月夜》(*Moonlit Night*)和《春望》(*View in Spring*)，但是宇文所安认为："当你走出这些著名的诗歌，会发现一个更有趣的诗圣形象。""杜甫是一位与众不同的诗人。当他和家人搬到成都时，他写了一首诗给那些想要果树和陶器的人，历史上从来没有哪位诗人写过这种题材的诗。杜甫还有一首写给仆人的诗，他称呼仆人的姓名，赞扬他修好了家里的水管。"这些诗歌读来妙趣横生，让我们看到了诗人杜甫在真实生活中的探索与乐趣，而不仅仅是"诗圣"杜甫纯粹的诗歌世界。但遗憾的是，它们中大多数没有被选入市面上所流行《杜甫诗选》中，这也正是宇文所安以《杜甫全集》为底本的原因。"杜甫在他的诗中有对战争的广泛探讨，但也有关于豆酱的诗，有抱怨蔬菜不好的诗，还有关于取下葫芦架的诗，杜甫将这项平凡而艰巨的任务比作商朝的灭亡。""读到杜甫全部的诗，你会立即明白他为什么独一无二，"宇文所安表示："他活在他的世界里，如同我们活在我们的世界里。不同之处是，他在他的世界里发现了诗。"

翻译中国古典诗歌不是一项简单的工作，何况是翻译以博大精深的思想内容和丰富多样的表现手法著称的杜甫诗歌，更是难乎其难。"它们没有时态，也很少使用代词。有时候很难分辨一个名词的单复数。如果一句诗是这样写的：'鸟在天空飞'(bird fly sky)"宇文所安说，"这既可以理解为'一只鸟在天空飞'(A bird flies in the sky)，又可以理解为'一群鸟在天空飞'(Birds fly in the sky)。"而诗歌追求的朦胧美也很难把握。在这种情况下，宇文所安对杜甫作品的解读饱受争议，再加上满满当当的教学和演讲工作安排，宇文所安只能利用闲暇时间和假期进行翻译工作，原计划 3 年完成的全译本，延长到了 8 年。撇开这些令人沮丧的时刻不谈，这个项目是宇文所安酝酿已久的梦想。2005 年美国梅隆基金会颁发的杰出成就奖(*Mellon Foundation Distinguished Achievement Award*)为宇文所安提供了 150 万美元的奖金，他用这笔钱发起成立了"中华经典文库"(*Library of Chinese Humanities*)丛书翻译委员会，而《杜甫诗集》(*The Poetry of Du Fu*)则是系列丛书的第一本。"像其他的悠久文明一样，中国也应该有像洛布(*The Loeb Classical Library*)这样的经典英译丛书。"宇文所安表示："我希望通过翻译杜甫诗歌全集，鼓励出版一套相似的中国文学经典文库。我们陆续要进行的翻译项目，包括李白、李清照、嵇康、阮籍等人的诗歌全集。等有足够的资金后，我们可以筹划更多长期的项目，比如翻译《资治通鉴》。我们希望最终可以上达先秦，下通明清。"

四、结语

宇文所安其人性乐烟酒，心好诗歌。简脱不持仪形，喜俳谐。在哈佛杂志的报道中，同事们称他有“一种翱翔天际、极富想象力的自由精神”（a soaring and highly imaginative free spirit），足以与“诗仙”李白媲美。自从事中国文学研究以来，宇文所安编纂出版了数十本关于中国文化的著作，他深入的品读和独到的视角，为中国文学研究提供了新方向，同时也让西方世界领略到了中国古典诗文的独特魅力。在他看来，欣赏古典诗文不只是研究者的事情，他更想通过自己不断的努力，让中国古典诗文走出文学象牙塔，走出中国，走向世界。

参考文献

[1] 刘功虎. 宇文所安：美国人距离唐朝不比中国人远 [N]. 长江日报，2014-07-08（20）.

[2] 斯蒂芬·欧文. 初唐诗 [M]. 贾晋华，译. 桂林：广西人民出版社，1987：6-8.

[3] 刘苑如. 冬访宇文所安—— “汉学”奇才 / 机构“怪物”的自我剖析 [J]. 中国文哲研究通讯，28（1）：3-15.

[4] 钱锡生，季进. 探寻中国文学的“迷楼”——宇文所安教授访谈录 [J]. 文艺研究，2010（9）：63-70.

史景迁及其叙事式著史风格

摘要：史景迁（Jonathan D. Spence），1936 年出生于英国，1965 年获耶鲁大学博士学位，美国耶鲁大学中国史研究专家、历史系和东亚研究中心（Center for East Asia Studies）主任、美国历史学会（American Historical Association）主席。史景迁的历史作品选材独特，构思精妙，文笔简练而不失文采，其作品在内容上深入浅出，尤其擅长运用大量的对于书中人物和事件的叙述性描写来增强文章的可读性，为此受到了许多读者的青睐。但也不乏批评乃至指责的声音，指责史景迁的作品想象多于事实，更像是“小说”或是后现代主义史学作品而非传统意义上的“书”。关于他的学术论文日益增多，对于他的评价，长期以来褒贬不一，莫衷一是。

关键词：史景迁；《王氏之死》；《太平天国》

一、史景迁简介

史景迁（Jonathan D.Spence）是一名出生于英国伦敦的中国历史专业研究者。史景迁于 1936 年出生于英国伦敦郊外的萨瑞郡，大学时代曾分别就读于温彻斯特学院（Winchester College）和剑桥大学（University of Cambridge），并在剑桥大学获学士学位，接受过英国史学的严格训练。1959 年史景迁因获美仑奖学金（Clare-Mellon Fellowship），以交换学生身份到美国耶鲁大学（Yale University）攻读硕士学位，师从史学家费正清（John K. Fairbank）的学生芮玛丽（Mary Clabaugh Wright），并受到芮玛丽的器重和赏识。

史景迁不负师望，刻苦问学。1965 年，史景迁获史学博士学位，其博士论文《曹寅与康熙皇帝：一个皇帝庞臣的生涯揭秘》（*Tsao Yin and the Kang-hsi Emperor: Bondservant and Master*）获荣誉极高的论文奖（*The John Addison Potter Prize*），他因此破格留校任教。1970 年芮玛丽去世，史景迁继承其师在耶鲁大学的位置，一路升到“亚当斯历史讲座教授”，并兼任耶鲁大学 Timothy Dwight 学院的院士。

史景迁本人非常敬仰中国汉代大史学家司马迁的成就并且悉心追求司马迁

叙事式史学风格，故以其本名的谐音而名之。景仰司马迁的史景迁，被公认是16世纪以来最有影响力的汉学家之一，他在历史塑造现代中国所扮演的角色方面有详尽的著述。他备受好评的《追寻现代中国》(*The Search for Modern China*)已经成为近代中国史的标准教科书。顾思齐称“史景迁以叙事和文笔见长”，史景迁的著作大多能深入浅出，且文笔流畅、叙事性强，美国匹兹堡大学(University of Pittsburgh)教授许倬云形容：“给他一本电话簿，他可以从第一页的人名开始编故事，编到最后一个人名。”史景迁是在美国少数能使专业史学著作成为畅销书的作者之一，对于中国历史知识在西方英语世界的传播造成很大影响。

二、以小见大，人民群众是历史的创造者

史景迁是一位人文色彩浓厚的史学家。他研究中国历史，以独特的视角观察悠久的中国历史，并且以不同一般的“讲故事”的方式写作，因此他在成为蜚声国际的汉学家的同时，也成为学术畅销书高手。他的几部著作如《太平天国》(*God's Chinese Son: the Taiping Heavenly Kingdom of Hong Xiuquan*)、《中国皇帝:康熙自画像》(*Emperor of China: Self-portrait of K'ang-hsi*)、《胡若望的疑问》(*The Question of Hu*)和《王氏之死》(*The Death of Woman Wang*)等为他带来了数量庞大的读者，还为他赢得了新时代史学大师的盛名。归根结底，史景迁所获名声无外乎源于以下几个史氏作品中所具有的特点——大众化的叙事风格、辩证的历史思维、以小见大的史学构思、移情时的心理追寻以及文学化的历史叙事，这些作为史景迁写作的必要元素贯穿于其作品的字字句句之中。

（一）《王氏之死》

《王氏之死》作为史景迁早期写作生涯的代表作之一，在中国内地以其不拘一格的选材角度和丰富的叙事内容受到了民众和学界的欢迎，同时也使史景迁获得了“现代西方杰出史学家”的美誉。《王氏之死》集中体现了史氏史学研究的人文主义色彩，其中包括：文笔优美、叙述流畅；史料多元、运用巧妙；结构严谨、布局独到；感觉敏锐、富有想象。在该书中，史景迁无论是社会宏观背景介绍，还是人物心理描述，都做到行云流水，妙笔生花，这极大地增强了该书的可读性。历史是人的活动，历史的叙述本质是讲故事。其中，中西方史学的源头都有说故事的传统。但到了近代，以兰克为代表的实证主义学派追求史学的科学化，历史叙述越来越专业化、规范化，从而丧失了讲故事的优良传统。史景迁通过《王氏之死》再

现了传统史学以优美的文字叙述故事的手法，把一个发生在清初中国底层的故事娓娓道来，让读者如同身临其境一般，对于书中的情节感同身受。

史料是史学的基础，一切历史写作都应该在尊重历史事实的基础上进行发挥。到了近代，以兰克为代表的实证主义学派更是把史料提升到了至高的地位。《王氏之死》在史料收集、整理和运用上可谓匠心独运、颇具特色。首先，此书的选材眼光独到，具有人文色彩。本书所使用材料主要是冯可参主编的《郯城县志》、黄六鸿的《福惠全书》、蒲松龄的《聊斋志异》。其中，对于蒲松龄的志怪小说《聊斋志异》中材料的使用是本书中最具争议的地方。史学被称为科学之学，求真是史家的目标，使用小说家的材料岂不是荒诞至极？然而史景迁则认为问题的关键在于作者使用文学材料要解决什么问题。正如有的学者分析的那样：史景迁运用文学材料书写历史，当然不是要呈现实际发生的史实，不是妇人王氏的"信史"，却可以引发读者想象清朝初年的冲动，在历史意识上触及当时历史环境的"可能情况"。

（二）《太平天国》

《太平天国》这部著作是史景迁研究太平天国的重要成果。史景迁在《太平天国》一书中，主要探讨了他关于洪秀全以及太平天国运动的基本观点。史氏著史的风格及特色在这本书里体现得更加淋漓尽致，《太平天国》也因此堪称史景迁"叙事式史书"的代表作。史景迁以洪秀全的宗教思想为视角，探寻洪秀全建立太平天国的心路历程，为读者呈现一个有血有肉、栩栩如生的洪秀全，这种效果的呈现与史景迁的研究方法是分不开的。

首先，史景迁的太平天国研究正好与"叙事史的复兴"潮流相一致。但是史景迁的历史叙事有其自己独到的一面，他并不注重用社会科学的理论来解释历史，而运用对人物和环境在细节上的动态结合来叙述历史，使读者能够去体验和感受过去曾经发生的故事。史景迁用"讲故事"的叙事手法，为读者讲述了洪秀全的精神世界和内心思想，并探寻了他的行为逻辑。

其次，和同样身为美国汉学研究专家的孔飞力（Philip Alden Kuhn）和魏斐德（Frederic Evans Wakeman）相比，史景迁研究的特色在于文学化的写作风格，使史实的形象跃然纸上。在史景迁的作品中，我们所看到的多是其对于人物和细节的描写，通过实现人物细节和环境描写的动态结合来展现一个个活生生的人物和事件。在史景迁的历史叙事中，读者可以了解许多故事的细节。史景迁则用这些细节构成了一个个故事，然后再把这些故事向读者娓娓道来。

历史学的研究是以史料为基础的，史料是分析问题和得出结论的依据，史景迁的叙事也是建立在史料基础上的。但是史景迁在运用史料的过程中，表现出开放的史料观。史景迁在史料的选取方面注重在税收记录、教堂记录等档案中挖掘史料，并大胆采用了地方志。史景迁在撰写《太平天国》的过程中主要采用的地方志为《花县志》，通过该地方志他可以让读者了解到洪秀全所处的社会环境等。报刊同样是史景迁所选取的重要史料，其中包括《中国丛报》（*Chinese Repository*）、《广州记录报》（*The Canton Register*）等。回忆录也是他选取的重要史料。其中包括亨特的《广州番鬼录》（*The Fankwae at Canton*）等。从亨特的《广州番鬼录》中，读者可以了解到广州十三行商馆的日常生活。但是，对于史景迁史料的选取范围，我们必须看到，它使用了许多英文世界的史料，尤其是那些收藏在大英博物馆里面的西方人对这场战争（太平天国运动）的记述。这些记述会因为异质文化的差异而导致理解的误差；也可能因为记录者政治立场的不同，而导致记录有失客观，还有可能出现事实错误等问题。

三、"史书"还是"小说"，史氏写作风格引发的争议

作为一名以叙事、描写见长的现代史学作家，史景迁凭借其独特的写作风格赢得了学界的广泛认同。与此同时，对其作品表示出质疑的态度甚至为此大书特书展开批判的人亦不在少数。分歧集中在对他的历史书写方式的评价上。史景迁喜欢用"讲故事"的手法来叙述历史事件，但是传统的"故事"与"历史真实"之间的差异总是让执拗的人心生疑窦。例如《王氏之死》来自1673年的《郯城县志》、官绅黄立鸿于17世纪90年代写的有关县府的私人回忆录和笔记以及《聊斋志异》的部分，通过一个小县城里妇女和情夫出逃最终死去的故事展现17世纪中国郯城的地震、兵灾、饥荒、土地的暴力争夺、乡权冲突、贞妇烈女的事迹。记录来自《聊斋志异》似乎已经有"不真实"之嫌，而史景迁行文之间甚至有"她看见冬天的山上布满了鲜花，房间里金光耀眼，一条白石路通向门口，红色的花瓣撒落在白石上，一枝开着花的枝头从窗外伸进来"这样梦幻般的描述，和所谓的"历史严谨"似乎完全不搭界。罗伯特·恩特曼（Robert Entman）在评论《王氏之死》一书中认为史景迁如果不是挑选了山东一个贫穷而边缘化的乡镇在一个动荡不安的时段来研究，而是选择了一个富足的乡镇在一个安定时期的话，那么将是另外一番景象。因此，史氏无疑是将传统中国的形象歪曲了，并且在引用资料时模糊了史实与小说的界限。

第二个争议就是,虽然是“史学大家”,但是从来不见史景迁提到任何学术名词,只有对历史细节一再地描述,甚至没有像黄仁宇一样在小处着手叙事的时候强调“大处着眼”。在《中国皇帝:康熙自画像》一书中,全文用第一人称讲述,将一段段细节并列铺陈,甚至相互之间并无逻辑联系,难免会得到“观点欠奉”的负面意见。这些争议反过来看恰恰就是史氏著书令人耳目一新之处。推崇者谓之曰“人性”“人文关怀”“感知历史细节和图景”;批评者则冠之以“主观想象”“缺乏理论”的评判,甚至有传言说钱钟书称史景迁是“失败的小说家”。

史景迁本人这样概括自己的工作:“我从来没有写过虚构作品(I have never written fictions)。”不管中国人是将伟大的意义赋予他,还是将主观臆想的评价强加给他,他一再强调史料的重要性,认为保护史料和研究史料是第一要义。在他看来,历史就在那里,中国的史料叙述本身就很接近于说故事,而他本人对于历史中的“故事”的兴趣也许是一种天性,不管谈到什么,他总是用自己研究过的历史人物经历来举例,言谈之间充满同情和代入感——正是他自己首先身陷其中,感同身受,才能写出更多让中国人动容的历史片段。

在《胡若望的疑问》一书中,史景迁主要叙述了18世纪一位广东的基督教教友胡若望受法国传教士傅圣泽之聘前往欧洲,但因言语不通,行为怪异,最后被视为“疯子”而被关进精神病院的故事。全书以具体日期为经,世情的起落为纬,将胡若望的法国之旅与不同场景组串起来,令人读起来仿佛身临其境。然而,对于胡若望因何而“疯”,史氏在书中却根本没有提及。

因此,便有西方历史学者将《胡若望的疑问》一书看作后现代史学著作,认为该书的文学色彩过于突出,伴随着胡若望的所遭所遇,作者的思绪纵横驰骋,历史与想象之间的界限变得愈发模糊。部分史学家也因此认定此书为后现代史学之作。伊格尔斯(Georg G. Iggers)在论述后现代主义对史学著作影响有限时就曾经指出,《胡若望的疑问》是“在有意识地要消灭学者的历史著作和历史小说两者之间的界限上”走得最远的一个。福柯(Michel Foucault)在《疯癫与文明》(*Madnessand Civilization*:*A History of Insanityin the Age of Reason*)中向人们揭示了所谓的“疯狂”其实只是一种文化的概念,而不仅在医学上才具有意义。胡若望从中国被带往法国,在一个异质的氛围下,演绎出许多令西方人不解并最终将其看作疯子的行为。然而,史景迁对此却根本无意涉及。因此,史景迁的这种写作模式便大有写作小说之嫌。

面对来自学界各方的批评与质疑,史景迁不置可否。但史氏坚持认为他本人的著史方式并没有超出正统史著方式的范畴。在他看来,对于历史人物与事件细节的注重是其写作生涯中的一贯追求。对于被别人冠以"后现代史学家"的称号，史景迁从未在其有关著述中予以承认，也从未以坚定的语态回击过这种论调。尽管史氏对被人看作后现代史学家并不在意，但若被人看作历史小说家时，恐怕史景迁本人是万万不能同意的。

在史景迁看来，史学家与"历史小说家"有一些共通之处，如注重背景的烘托与写作技巧的强调等，但彼此之间的区别与界限还是泾渭分明的，那就是对历史事实的尊重程度以及基于此所产生的允许"我们自己自由发挥的限度"。史景迁认为，对于史学家来说，一个历史事实是否成立，并不是"能不能""应当不应当"去改变它的问题，而是要努力去研究其究竟是否是一个事实的问题。当面临某些尚未被解释的领域、或尚未填充的空白时，历史小说家是可以去"自由发挥"的。

后现代主义者最为强调史学与文学之间的相互沟通，多认为史学的书写与文学无异，所谓的史实真实性根本无从谈起。后现代主义史学注重对诸如下层社会、妇女和少数民族等弱势群体的研究，并企图取消历史与文学、过去与现在以及真实与虚构之间的界限。然而史景迁认为他在自己写作中对文学的提倡，主旨在于增强作品的可读性，而将史学建于事实的真实性之上是为基本前提，从而颇具古典史学"文史不分"的传统色彩。这正是两者不可调和的根本性分歧。而从史氏对待理论的态度上来看，他也不会承认自己是后现代史学家的。史景迁对理论不感兴趣，但他仍然对理论学习与借鉴持有一定的自觉性，只不过他是用这些理论以很隐秘的方式影响自己的叙事方式而已。

四、结语

作为叙事型史家的代表人物，史景迁这位西方史学界的"怪才"以他独特的写史风格为史学界带来了一股清新之风，也使得原本对于大多数人来说枯燥无味且晦涩难懂的历史书籍变得生动活泼，与此同时吸引了更多原本对历史不感兴趣的读者，让他们对历史产生了浓厚兴趣。在史景迁身上，一方面闪烁着东西方传统文化的耀眼光芒，另一方面也留下了新时代文化思潮涌动的印记。尽管其独树一帜的写作风格遭到学界内外不少的指责与非议，但这正是合格的史学家应具备的借古喻今、为时代革新贡献动力的能力。

参考文献

[1] 卢汉超. 史景迁谈史 [J]. 史林.2005(2)：1-7，123.

[2] 王庆成. 太平天国的历史和思想 [M]. 北京:中国人民大学出版社,2010:614.

[3] 马敏. 耶鲁怪杰史景迁 [J]. 读书,1997(6):60-64.

[4] 马卫东. 历史学理论与方法 [M]. 北京:北京师范大学出版社,2009.

[5] 王晴佳,古伟瀛. 后现代与历史学:中西比较 [M]. 台北:台湾巨流图书公司,2001.

[6] 伊格尔斯. 二十世纪的历史学:从科学的客观性到后现代的挑战 [M]. 何兆武,译. 沈阳:辽宁教育出版社,2002:155.

[7] 张广智. 西方史学史 [M]. 上海:复旦大学出版社,2005:380.

孔飞力与他的“中国中心观”探析

摘要：由于时代原因，美国中国学的研究在各个时期表现出了不同的研究特征。“冲击－回应”模式和“中国中心观”是美国中国近代史研究中两种对立的理论体系。费正清提出的著名的“冲击－回应”模式对美国中国学界产生了深远影响。然而，在20世纪60年代末，费正清时代用以解释中国近代史的“冲击－回应模式”遭到批判，西方中心主义没落，倡导以中国为中心研究中国历史的“中国中心观”兴起。作为“中国中心观”的代表人物，孔飞力（Philip Alden Kuhn）强调从历史内部的发展寻找中国社会转型变化的原因。他关注中国社会本身的“独特性”，并尝试从中国社会内部重新发现中国历史发展规律。本文将以孔飞力以及他的“中国中心观”为主要研究对象，分析其主要特点，使读者能更为客观地看待孔飞力以及他的“中国中心观”。

关键词：孔飞力；“中国中心观”

一、孔飞力简介

孔飞力（Philip Alden Kuhn，1933—2016），美国著名汉学家。1933年出生于英国伦敦，1950年毕业于美国华盛顿特区的威尔逊（Woodraw Wilson）高级中学，同年考入哈佛大学。1954年，从哈佛大学毕业，获学士学位。1954—1955年，在英国伦敦大学东方与非洲学院学习日语与日本历史。1955年夏，孔飞力在位于加利福尼亚州蒙特利（Montery）的军队语言学校学习中国语言文字，这段经历引发了孔飞力对中国文化及中国历史的兴趣，并与之结下了不解之缘。1958—1959年，他在乔治城大学攻读研究生，获硕士学位。1964年获哈佛大学历史与远东语言博士学位。他曾任哈佛大学费正清研究中心主任，先后担任该校东亚文明与语言系主任、芝加哥大学远东语言文化系主任，获得过包括古根汉姆学术研究奖（Guggenheim Fellowship）在内的多种学术荣誉。他的主要研究领域为晚清以来的中国社会史、政治史。从20世纪70年代中期起，他把研究重点转向海外华人移民史研究。其主要著作有《中华帝国晚期的叛乱及其敌人》（*Rebellion and Its Enemies in Late Imperial China*）、《叫魂：1968年中国妖术大恐慌》（*Soulstealers*：

The Chinese Sorcery Scare of 1768）等论著，并参与了《剑桥中国晚清史》（*The Cambridge History of China Vol.*10：*Late Ching*，1800—1911）、《剑桥中华民国史：1912—1949》（*The Cambridge History of China Vol.*12：*Republican China*，1912—1949）的编写工作。孔飞力被认为是继费正清之后，引领美国中国近代史研究走向新方向的一个重要学者。

二、"中国中心观"的提出

研究"中国中心观"就避免不了研究与之对立的另一理论体系："冲击－回应"模式。费正清时代的近代史观"冲击－回应"模式实质上是变相的"西方中心论"，其理论依据是中西文化冲突。在费正清看来，中国和西方是两种截然不同的文明，本质差别归结为一点就是：前者是落后的，后者是先进的。他指出，"两种文明是冰炭不相容的"，中国文明是一种"停滞的农业－官僚政治文明"，是"古老的""变化缓慢的"，充斥着"惰性和固执"的，而西方文明是一种"扩张性的商业－工业－军事型的文明"，洋溢着勃勃生机，是"现代的""更有生气的"，因此，当两种文明相遇时，"中西价值观、风格和惯常做法等方面的文化冲突也是不可避免的"，进而他又断定，"这种冲突是必然要到来的，而且西方的胜利也是必然的"。传统的迟滞与稳固、资源与文化的自给自足使得中国静止了数千年，它缺乏内在动力突破传统框架，"非借鉴外界来实行现代化不可"。因此，中国只能在西方的冲击下，被迫作出回应，走上现代化进程。这就是费正清的"冲击－回应"模式。此外，费正清把中国近代历史建构为3个阶段：19世纪40—50年代，西方的冲击使中国遭受到沉重打击；19世纪60—90年代西方逐渐成为中国效仿的榜样；到了20世纪，西方成功地鼓舞了中国进行三次革命，分别是：共和革命、国民革命和共产主义革命。由此可以看出，费正清将近代中国的一切变革都与西方的"冲击"联系起来，夸大了西方冲击的作用，这其实是典型的西方中心主义。不可否认的是西方的冲击直接影响了鸦片战争后中国历史的发展进程，但中国社会的发展进程最终取决于其自身内部运动的规律，任何外来冲击只有通过中国社会的内部因素才能起作用。

20世纪60年代末70年代初，国际局势风起云涌，给美国中国学带来了新的发展机遇。美国国内危机的影响、中美关系的缓和、主流学术思潮的变化使得美国中国学界的学术方法和学术理念发生了重要变化。费正清时代用以解释中国近代史的"冲击－回应"模式遭到批判，西方中心主义没落，倡导以中国为中心研究中国历史的"中国中心观"。这是一种"倡导以中国为出发点,采用多学科协作的研究方法深入探讨中国社会内部的变化动力与形态结构"的研究取向。它力图摆脱殖民主义的框架,从中国社会内部探索其发展,是20世纪70年代以来美国中国问题研究的基本取向。保罗·柯文(Paul Cohen)是韦尔斯利学院历史名誉教授和哈佛大学费正清研究中心研究员,其主要研究领域集中在19世纪至20世纪的中国史研究、历史编纂学、国家主义等方面。柯文建构了理解中国近代史的"中国中心观",孔飞力正是这一思想模式的倡导和践行者。

柯文对"中国中心论"模式进行了详细阐述,其学术特点体现为:①从中国而不是从西方着手来研究中国历史,并尽量采取内部的而不是外部的准绳来决定中国历史哪些现象具有历史重要性;②把中国"横向"分解为区域、省、州、县与城市,以展开区域与地方历史的研究;③把中国社会"纵向"分解为若干不同阶层,推动较下层社会历史的撰写;④热烈欢迎历史学家以外诸学科中已形成的各种理论、方法与技巧并力求把它们和历史分析结合起来。由此可见,在研究思想上,这一取向与费正清时代的"冲击－回应"模式形成鲜明对比,它否定了用西方的标准衡量中国历史的观点,要求在中国历史环境中进行中国问题的研究,要求西方学者通过"移情"进入中国社会内部,去"了解中国人自己是怎样理解、感受他们最近的一段历史的"。所谓"移情","就是要'卸下'那张包裹着史家自身的文化的、历史的乃至个人的'皮',然后钻进他所研究的对象的'皮'中去"。这样,西方学者才能"卸掉"西方文化的皮,更好地感知中国内部的历史文化传统。

在这样的学术趋势下,一批批令人瞩目的学者和研究成果涌现出来,如:魏斐德(F. E. Wakeman)与卡罗林·格兰特(Carolyn Grand)合编的《中华帝国晚期的冲突与控制》(*Conflict and Control in Late Imperial China*, 1975)、施坚雅(G. W. Skinner)主编的《中华帝国晚期的城市》(*The City in Late Imperial China*, 1977)、史景迁(J. D. Spence)和约翰·威尔斯(John Wills)合编的《从明到清》(*From Ming to Qing*, 1979)等。在众多的学者中,孔飞力无疑是其中最有影响的学者之一。刘广京教授曾以孔飞力《中华帝国晚期叛乱及其敌人》(*Rebellion and Its Enemies in Late Imperial China*)一书为例,称誉他是美国20世纪探讨中国社会史动态最杰出的史家。在美国中国史研究转向"中国中心观"的过程中,孔飞力一直走在学术潮流的前头,成为美国第二代汉学家的领军人物。

三、孔飞力“中国中心观”的特点

（一）主张中国史研究的“内部取向”

在孔飞力之前，无论是倡导“冲击－回应”模式的费正清一代中国史研究者，还是追随“传统－近代”模式的李文森一代研究者，都认为中国历史在西方入侵前始终处在王朝循环的“停滞”状态中，只有等待西方猛击一掌，才能沿着西方走过的道路向西方式的“近代”社会前进。而孔飞力则不然，他反对在中国近代史研究中一切都以西方冲击中国的程度来衡量近代中国的历史进程。他在《中华帝国晚期叛乱及其敌人》（*Rebellion and Its Enemies in Late Imperial China*）一书中，对中国“近代”始于鸦片战争的说法提出了异议，认为这一说法至少隐指“在这一时代，控制中国历史发展的主要力量来自中国社会和中国传统之外”，而“中国政治制度的稳定性有其很深的社会根源”，从而确定研究中国近代的开端还得从中国内部的社会结构着手。

在孔飞力的《民国时期的地方税收与地方财政》（*Local Taxation and Local Finance in the Period of the Republic of China*）一文中，就阎锡山在山西实行的“村制”对当时中国地方税收与地方财政影响作了剖析。他认为阎锡山在山西实行的“村制”，尽管披有改良派纲领华丽的外衣，但它“相当于清代的‘编村’制度”，“是中国旧行政制度在20世纪复活的例证，即将征税的责任落实到具体的村，并使村成为一个基本的政治行政单位”，“阎锡山竭力鼓吹的所谓‘村制’仅仅有一层自治的皮囊，而骨子里却继承了陈旧的帝制时期的税收制度，是一种稍加变形的十人连坐保甲管理制”。从这里我们可以看出，近代中国出现的一些曾被视为具有“近代”特性的历史现象，原本就是中国历史自身发展的必然结果，与西方的“冲击”并无多大关系。孔飞力这种不把近代中国出现的“新”的历史现象，全归结为是西方“冲击”造成的研究方法，动摇了美国当时一切以西方“冲击”为标准的中国近现代史的研究学风。

（二）反对用西方的“术语”套用中国近代史研究

受“西方中心论”影响，许多美国中国史研究者认为中国历史只有那些符合西方现代化定义的发展轨迹才值得研究。因此，一些被称为“中国中心观”的学者虽然也注重从中国的传统中探求历史发展的真相，但由于受西方学术传统影响，他们常在对中国历史发展的具体研究中套用西方术语。如20世纪80年代以来罗威廉（William Rowe）、蓝钦（ Mary B. Rankin）、史大卫（David Strand）等学者将学术界原先用于欧洲史研究的两个相关概念——“公共领域”（Public Sphere）和“市民社会”（Civil Society）套用于中国史的研究。他们认为中国之前虽然没有形成市民社会，但在 19 世纪末期，已经发展出类似欧洲资产阶级初现时特有的一些“公共领域”和“市民社会”的现象。尽管这些学者把解释历史的重点放在中国历史内部的发展，克服了过去中国无力创造自身历史而必须依赖西方“冲击”的偏见，但却陷入另一误区，即试图把中国和西方的历史等同起来，把西方的学术规范套用于中国史的研究。

但孔飞力不同意这一做法。他认为，欧洲的“公共领域”“市民社会”这些概念太过宽泛，而且不同时期对这些概念的定义也不同，如直接套用在对中国历史发展的研究上并无益处。“如果一味刻板地套用欧洲的理论建构，我们所得到的或许不是‘虚假的现代化’，甚至还会得到‘自由主义萌芽’——亦即‘资本主义萌芽论’在政治上的翻版，而此一概念不过是想显示‘中国也有’的心结。”因此，研究中国历史不能套用西方的一些术语，而应“忠实地把握住中国的实际脉络”。孔飞力所提出的西方学者在研究中国史时应避免用西方的学术概念来套用中国历史的观点，对于美国史学界在探讨中国问题时少一些“西方”色彩具有重大意义。

四、结语

作为“中国中心观”的倡导者和实践者，孔飞力强调从历史内部的发展来寻找中国社会转型变化的原因。他关注中国社会本身的“独特性”并尝试从中国社会内部重新发现中国历史发展规律。这一思维模式动摇了美国当时一切以西方“冲击”为标准的中国近现代史的研究学风，对美国中国学的研究少一些“西方”色彩具有重要意义。然而，由于过分夸大中国历史发展的独立性，孔飞力相对地忽视了西方入侵对中国的影响；同时，他的论著大多是针对一些个案展开的，缺乏对近代中国作全局性的系统研究。这些都是他的“中国中心观”研究方法的一些缺陷之处，在一定程度上影响了中国史研究的客观性与科学性。

参考文献

[1] 王新谦. 对费正清中国史观的理性考察 [J]. 史学考查，2003（3）：13-18.

[2] 费正清，赖肖尔. 中国：传统与变革 [M]. 陈仲丹，潘兴明，庞朝阳，等，译. 南

京:江苏人民出版社,1996.

[3] 费正清. 美国与中国 [M].4 版. 张理京,译. 北京:世界知识出版社,1999.

[4] 米姝利. 从传承到转变:费正清与孔飞力的中国近代史研究 [D]. 长春:吉林大学, 2013.

[5] 柯文. 在中国发现历史——中国中心观在美国的兴起 [M]. 林同奇,译. 北京:中华书局,2002:1.

[6] 刘广京. 三十年来美国研究中国近代史的趋势 [J]. 近代史研究,1983(1)289-312.

[7] 陈君静. 孔飞力和他的中国近代史研究 [J]. 史学理论研究, 1999(2):58-67.

[8] 孔飞力. 中华帝国晚期的叛乱及其敌人 1796—1864 年的军事化与社会结构 [M]. 谢亮生,杨品泉,谢思炜,译. 北京:中国社会科学出版社,1990.

[9] 陈君静. 孔飞力和他的中国近代史研究 [J]. 史学理论研究,1999(2):59-68.

华兹生背后的汉学二次传播

摘要:马克思主义(Marxism)哲学认为一切事物在经由量的积累到达一定程度以后,自然会引发质的变化。自1823年英国皇家亚洲学会(Royal Asia Society)成立,汉学已有近二百年的历史。从客观上来看,目前已经具备汉学传播发生质变的条件,包括时间与空间层面。在这里,笔者侧重探讨汉学传播质变的方式,即汉学的二次传播。借由翻译家、汉学家华兹生(Burton Watson)的例子,分别从二次传播的定义、华兹生的生平、华兹生的作品及思想方面讨论日本作为二次传播的中介者发挥的作用。继而,引发笔者关于汉学或者中华文化向外传播的思考。

关键词:二次传播;日本因素;生平;《史记》

一、华兹生简介

美国哥伦比亚大学著名教授华兹生(Burton Watson, 1925—2017)是当今英语世界极负盛名的汉学家和中日文学翻译家。华兹生1925年生于美国纽约,1956年获哥伦比亚大学博士学位。他曾以福特基金会海外学人的身份在日本京都大学(Kyoto University)从事研究,并先后在哥伦比亚大学(Columbia University)、斯坦福大学(Stanford University)和京都大学教授中国及日本语文。自20世纪60年代以来,华兹生先后著述和翻译了20余本中国古典文学方面的著作。1979年华兹生教授荣获哥伦比亚大学翻译中心金牌奖章,并且分别于1981年、1995年两次荣获美国笔会(PEN)翻译奖项。华兹生教授是极受欢迎的亚洲语文翻译名家,他的文字平易而优雅,很适合翻译王维、寒山、白居易、苏轼及陆游的作品。他翻译的作品有:哲学典籍《荀子》(*Xunzi: Basic Writings*, 1963)、《墨子》(*Mo Tzu: Basic Writings*, 1963)、《庄子》(*Zhuangzi*, 1964)等;佛学著作《维摩经》(*The Vimalakirti Sutra*, 1993)、《法华经》(*The Lotus Sutra*, 1997)、《临济路》(*The Zen Teachings of Master Lin-Chi*, 1999)等;史学著作《史记》(*Records of the Grand Historian*, 1961)、《汉书》(*Courtier and Commoner in Ancient China: Selections from the History of the Former Han by Pan Ku*, 1974)、《左传》(*The Tso Chuan: Se-*

lections from China's Oldest Narrative History, 1989）；古诗《寒山诗 100 首》（*Cold Mountain*：100 *Poems by the T'ang Poet Han-Shan*, 1962））、《宋代诗人苏东坡选集》（*Su Tung-po*：*Selections from a Sung Dynasty Poet*, 1965）、《陆游诗选》（*Lu You*, *The Old Man Who Does as He Pleased*, 1973）、《哥伦比亚中国诗选》（*The Columbia Book of Chinese Poetry*, 1984）、（《白居易诗选》）（*Po Chu-i*：*Selected Poems*, 2000）、《杜甫诗选》（*Selected Poems of Du Fu*, 2003）等。他翻译的《庄子》被收入大中华文库出版，同时也入选《诺顿世界名著选集》（*The Norton Anthology of World Masterpieces*, 1997），成为中国典籍在美国译介的经典之作。华兹生翻译的中国经典大多由美国哥伦比亚大学出版社出版，几十年来，他的译作享誉西方学术界，受到了西方专家和读者的极大欢迎。华兹生英文上乘，译笔平易优雅，译语优美流畅，可读性很强，在向西方读者介绍中国典籍文化方面功德无量，他可称得上是"以一人译一国"。近二三十年，在美国学习汉学的学生没有不靠华教授的译作入门的，因此他是高质量翻译了大批中国典籍、对外输出中国文化的学者型翻译家（scholar translator）。

二、汉学的二次传播

一般而言，我们研究汉学向外传播，大多聚焦在海外汉学家个体的活动以及我国汉学直接传播给这些汉学家的过程。不可否认，此种研究思路具有很大的价值且广为人们所接受。但随着国家综合国力的提高，我国汉学海外传播在纵向和横向上，势必范围会越来越广，影响的领域和传播的方式结构会变得更加立体。这一变化既符合客观逻辑规律也符合哲学的观点。如今中国已从区域向全球迈进，正是基于此背景下，研究汉学传播时，可以考虑转换视角，反过头来从汉学的二次传播入手。由于汉学的二次传播并没有相关的定义，因此就借用传播学（Communication）的定义，指的是：汉学经媒介传播被受众接收之后，它的传播过程并没有结束，常常又转换为另一种传播方式继续下去，这种继续传播则被称之为"二次传播"。它把汉学信息的传播延伸下去，在更广的范围继续发挥作用。简而言之，也就是我国汉学传播到海外，而接收群体在接收以后，又传播或者影响在另一个接收对象上。这个第二次传播的过程就叫作二次传播。华兹生背后的汉学二次传播与日本这个始发接收体密不可分。1943—1946 年，华兹生在临近日本的军事基地服役，这让他有了接触日本的机会。而正是在此期间，他对于学习日语和日语背后的中国文化产生了兴趣，并付诸实践，在退役后先后获得本科和硕士研究生的中文专业学位。毕业之后,他更是前往日本任教,系统地从事汉学研究,并受到日本汉学家的影响。由此可知,华兹生从产生汉学研究的兴趣到决定从事汉学研究,并没有受到中国这个研究主体的直接影响。然而真正促使这位在那个年代居住在异国他乡的著名美国汉学家、翻译家穷尽一生研究汉学、传播汉学的,正是已经接受汉学传播的日本。也就是说,日本将汉学二次传播给了华兹生。

三、见诸华兹生背后的日本因素

(一)从华兹生的生平来看

2011 年, 86 岁的华兹生再次访问西安。当他被记者问到在那个特殊的年代选择学习中文背后的故事时,他回答道:“1946 年第二次世界大战结束后,我在美国当海军时,驻扎地离日本很近,所以非常有兴趣了解日本。当我知道日本文化中有很多中国文化时,我就开始对中国感兴趣了。”从华兹生的话中,可以清楚地探知,华兹生早期接触日本这种接收并包含汉文化的文化之后,从中认识中华文化并对它产生兴趣,而兴趣又是最好的老师,华兹生这才开始从事汉学研究。由此可以看出日本在传播中国文化时起的中介作用。华兹生硕士研究生毕业之后,由于工作原因,又想继续从事汉学研究,他便退而求其次,前往同是东方文明古国的日本,一则日本在地理位置上离中国较近,二则在文化和心理上与中国也密切相关。实际上第二次世界大战后日本仍旧是世界汉学研究的重镇,一大批从事中国文化研究的汉学家活跃在这个国家里。他们不仅对汉学研究颇具见地,而且也乐于将汉学传播出去。而华兹生的日本之行还得归功于日本学者汤川秀树(Yukawa Hideki)和另一名日裔学者基恩(Donald Keene)的帮助。华兹生在日本的另一位贵人——日本著名中国古代专家吉川幸次郎不仅给华兹生提供了工作,让华兹生担任他的助手(在参与吉川的学术项目中,华兹生第一次较为深入地了解并学习了中国古典诗歌,并对这方面产生了极大的兴趣),而且还帮助华兹生申请到了京都大学中国古典文化的课程,这个课程让华兹生有机会系统地学习中国古典诗歌。此外,在 1955 年,在汉学家吉川的推荐下,华兹生申请到了福特基金海外研究员的资助,而正是有了这个资助,华兹生才得以放下工作的纷扰,在日本全身心地从事汉学研究工作。综上所述,华兹生因日本对汉学产生兴趣,坚定研究汉学的信念;在日本的工作、学习背景、遇到的日本汉学家和研究经历,为华兹生日后从事中国典籍翻译活动以及传播汉学奠定了坚实的基础。

（二）从华兹生的作品及思想来看

华兹生的汉学译著涉及中国古代典籍、诗歌、传记、佛经等诸多类别，而且还广泛涉及典籍评论、文学论述等领域，他的多部专著、译著入选联合国教科文组织（UNESCO）“中国代表性著作选集系列丛书”，成就斐然。在汉史译介方面，其翻译作品《史记》最为出名。著名历史学家、哈佛大学教授杨联陞在通读其翻译的上下两卷后认为：“华兹生对《史记》的语言有出色的把握，译文的可读性和可信度是上乘的。”华兹生将多次修改的硕士论文即《史记》的翻译投给《哈佛亚洲学报》（*Harvard Journal of Asiatic Studies*）却被拒稿，他没有因此而挫败，而是通读《史记》，并作了大量的笔记。他翻译的《史记》所参考的版本就是日本人泷川资言的《史记会注考记》（*Notes on Historical Records*）。该书广泛采纳了中日关于《史记》的研究成果，一直受到学界的高度认可。在华兹生着手翻译《史记》时，他参阅了当时出版的现代日文版《史记》，而这一针对日本读者的通俗译本的特点是注释极少，用词清晰明快，极具文学特色。正是这种特点让日本读者对《史记》的现代日文翻译有了巨大的需求。而这让华兹生觉得或许美国对用清晰明快的现当代美式英语翻译的《史记》也会有很大的需求。后来他意识到，大部分受过教育的日本民众对《史记》都有一定的了解，十分明白这部著作的重要性。但20世纪五六十年代的美国普通民众对中国这部经典著作却一无所知。所以，相比《史记》在日本的普及情况与在美国的普及情况，鉴于产生的需求，华兹生便坚定了开始《史记》翻译的信念和如何翻译的想法。除了《史记》的翻译，华兹生的译诗集在西方颇受欢迎的一个原因是他在选本时，参照的底本颇具多元化特色和国际视野，他参照了英译本、法译本甚至日译本，充分体现了他兢兢业业、精益求精的译诗精神。在一次接受巴尔克（John Barc）的访谈中，华兹生强调说：“因为我经常提到查阅了汉语文本的这个或那个日译本，有些人可能认为我是从日译本转译过来的，而非从汉语原文翻译的。实际上，并非这么回事。汉语评论家通常只解释诗歌或段落的难点和典故，但不对诗作整体性的解读。日本评论家因为是写给母语非汉语的读者看的，因此，其解释更为透彻。我接受我能得到的各种不同解释。”由此，我们可以知道当华兹生在参照译本的时候，日版更加符合这位母语非汉语的汉学家，日版更有利于他对译本的理解，更有利于他对汉文的理解与翻译。如在《寒山：唐代诗人寒山诗百首》的译注中，华兹生对以下译注给他带来的帮助表示感谢，如名古屋大学中国文学系教授吉川幸次郎出版的关于寒山诗的著作。

入矢义高送给他的《中国诗人诗作选》中附有寒山身份的介绍、126首日译寒山诗以及详尽的注释。日本京都大学中国文学教授小川环树(Ogawa Tamaki)的两卷《苏东坡》日译本则是华兹生《苏东坡诗选》的参照基础。另外,结合华兹生的学术背景,我们可以看出他对苏轼人生哲学的分析在很大程度上是因为他接受了吉川幸次郎的观点。吉川在《关于苏轼》一文中,对苏轼的文学成就和"善于超越苦难的人生哲学"都有较为深入的见解。吉川将苏轼善于超越苦难的人生哲学分为4个逻辑层次,并对苏轼人生哲学在中国诗史上的地位和对此后诗风的影响作了高度评价。他说:"自苏轼后的诗人也包括对他没有好感的人,很少歌咏对人生的绝望与悲哀,这正是因为他们都生活在苏轼改变了诗风以后的缘故。"而华兹生不但对这篇文章进行了翻译,而且他自己的《诗集》之中很多地方引用了吉川为说明苏轼人生哲学所用的诗例,如《出颖口初见淮山是至寿州》《迁至临皋亭》等都在里面出现。这些都无可辩驳地说明,华兹生深深受到了吉川幸次郎的影响。总的来说,不论是汉学的汉史,还是汉诗,抑或佛学,华兹生在其作品、思想方面深深地受到在日本的学习经历、研究背景、日本的汉学家以及日本作品的影响。日本汉学研究,不论是作品、思想,还是学者,都来源于历史,以多种方式直接向中国学习而来,之后又第二次传播即反馈出去,华兹生就是这样一个例子。

四、结语

随着时代的发展,汉学向外传播的内容和形式也将会更加多元化。汉学的二次传播则是我国汉学向外传播达到一定程度的产物。华兹生作为国际公认的优秀翻译家和汉学家,成功地把汉学传播到海外,其成功的因素是离不开日本将汉学进行二次传播这一现实情况的。纵观华兹生的生平,从对汉学研究兴趣的激发到早期帮助其明确研究方向,从提供日版底本及译注到日本汉学家思想影响其译介思路,日本汉学这个二次传播的媒介无不扮演着重要的角色。当然,任何事物都有两方面,有好的方面,自然也有坏的方面。日本汉学在给母语非汉语的华兹生提供各种便利的同时,自然也会产生不好的影响。毕竟汉学的直接研究对象是中国不是日本。华兹生在接受日版底本或日本汉学思想的同时,其译介作品和指导思想难免会带上日本汉学的印记。尽管每个汉学家都会有自己的翻译风格,而这些印记却似乎更像先入为主的观念或成见,这样在处理汉学译文材料时,难以做到完全客观。另外,抛开汉学二次传播的利与弊,汉学二次传播本身这种方式是值得我们注意的。因为在传播我国汉学或者文化思想的时候,要注重接收者的接收情况,不断调整将中华文化向外传播的方式,才能使目的语接受者更好地接纳。从华兹生的成功例子来看,在传播汉学和中华文化时,可以适当寻求第三者或者说已经接受汉学的中间者,让这些媒介宣扬汉文化。虽然经由第三方传播的文化有可能与原来的版本产生差别,但要求外国完全接受汉文化似乎有些勉强,所以有些许差别起码在接受程度上要进一步。

参考文献

[1] 林嘉新. 美国汉学家华兹生的汉学译介活动考论 [J]. 中国文化研究, 2017(4):170-180.

[2] 冯正斌,林嘉新. 华兹生汉诗英译的译介策略及启示 [J]. 外语教学,2015(5):101-104.

[3] 吴涛. 华兹生《史记》英译本的形象定位与文学性特征探析 [J]. 学术探索,2018(7):95-101.

[4] 李红绿,赵娟. 美国汉学家华兹生译诗选本研究 [J]. 外国语文, 2017, 33(4):100-104.

[5] 万燚. 论华兹生的苏轼诗译介 [J]. 琼州学院学报,2015(6):1-9.

[6] 吉川幸次郎. 中国诗史 [M]. 章培恒,译. 上海:复旦大学出版社,2001.

施坚雅模式中的变与不变

摘要：施坚雅（William Skinner），美国著名的人类学教授，曾先后担任美国科学院院士、美国亚洲学会会长。最为世人所知的是他美国第二代汉学家的身份。他开创的施坚雅模式无疑最让人津津乐道，同时也最具有争议性。本文试图围绕施坚雅模式中较先前理论而言体现出的变与不变两个角度展开论述，从而从不同的视角对中国汉学研究的情况有所窥见。

关键词：施坚雅模式；城市理论；区域发展理论；西方中心论；跨学科

一、施坚雅简介

施坚雅（William Skinner，1925—2008），美国第二代著名汉学家，1925 年 2 月 14 日出生于美国加州奥克兰，1954 年于美国康奈尔大学（*Cornell University*）获人类学博士学位，先后任哥伦比亚大学（Columbia University）社会学助教，康奈尔大学人类学副教授、教授，1965 年起任斯坦福大学人类学教授，1990 年起任加州大学戴维斯分校（University of California，Davis）人类学教授。1950 年至 1951 年到中国四川考察，1977 年考察中国城市市场。1980 年当选美国科学院（National Academy of Sciences，United States）院士，1983 年至 1984 年任美国亚洲学会（Asia Society）会长，1987 年至 1989 年任斯坦福大学巴巴拉·布朗宁人文科学教授。作品中译本有《中国农村的市场和社会结构》（*Marketing and Social Structure in Rural China*）（中国社会科学出版社 1998 年版）、《中华帝国晚期的城市》（*The City in Later Imperial China*）（中华书局 2000 年版），并发表了大量研究中国社会、经济结构、社会科学研究、农村和农民、人口、民族、海外华人的论文。2008 年 10 月 26 日因病逝世，享年 83 岁。

二、简述施坚雅模式背景及其内容

李学勤先生曾说："认为研究国际汉学最重要的是将汉学的进嬗放在社会与思想的历史背景中考察。和其他学科一样，汉学也受着各时代思潮的推动与制约，不了解这些思潮的性质及产生的社会原因，便无法充分认识汉学不同流派的特点和意义。”要想比较全面地认识施坚雅模式，了解其特定的时代背景是必不可少的。国外汉学研究起初欧洲占统治地位，但自第二次世界大战之后，美国的汉学研究异军突起，无论是在教学还是学术上都大大超过了欧洲。同时以实用主义为指导的美国汉学研究也逐渐摆脱了欧洲“传统派”的影响。在第二次世界大战结束到 20 世纪 60 年代末的美国汉学领域，由 3 个模式支配，分别是费正清（John King Fairbank）的“冲击－回应”（Impact-Response）模式，利文森（Joseph R. Levinson）的“传统－近代”（Tradition-Modernity）模式及随后的“帝国模式”（Empire Mode）。这 3 个模式尽管各有其侧重点，但都没有摆脱 19 世纪业已形成的以“西方中心论”为出发点的中国观的影响，这样一来，就如柯文所说，“排除了真正以中国为中心的从中国内部观察中国近代史的一切可能”。但自 20 世纪 60 年代末以后，不论是美国国内还是国际形势都发生了重大变化，包括亚非拉民族独立解放运动的兴起和成功，导致了世界殖民体系的瓦解，对许多非西方国家内部社会和历史进程的研究渐渐受到了普遍关注。在这个时代潮流的影响下，以施坚雅、孔飞力（Philip Alden Kuhn）为代表的美国第二代汉学家因倡导“中国中心观”（China-centered approach）他们引人注目，而倡导以中国本身为出发点，深入精密地探索中国社会内部的变化动力和形态结构，并力主进行多科性协作研究。施坚雅模式主要包括集市体系理论（Rural Market System Theory）和区域体系理论（Macro-Region System Theory），后者是前者的拓展和深化，是施坚雅本人以德国地理学家克里斯塔勒（Walter Christaller）的中心地理论（Central Place Theory）为基础，结合美国地理学家济弗（George K Zipf）的等级－规模（Hierarchy-Scale theory）和其他一系列理论的综合性体系。在架构过程中，施坚雅还融合了经济人类学、历史学、地理学、人口统计学多种人文学科和社会科学知识。载体是 20 世纪 60 年代至 80 年代之间相继发表的著作和演讲，如《中国农村的市场和社会结构》（*Marketing and Social Structure in Rural China*）、《帝国晚期的城市》（*The City in Later Imperial China*），其对于分析中国社会内部结构发展情况，启迪后来学者的思路这两方面的影响和意义可谓重大。

三、施坚雅模式中的变

(一)城市理论的转变

在施坚雅之前研究中国城市的领域中影响最大的理论莫过于韦伯模式。韦伯(Max Weber)关于中国城市的阐述,先入为主地以西方现代化的“理想类型”为标准去考量中国城市和其制度。他认为由于国家行政中心偏居一隅,对地方的管控能力有限,再加上儒教和道教本身缺乏资本主义那种理性主义,使中国的城市与制度无法达到西方城市的标准。为此,他还列举了5个形成城市共同体的特征:①防御设施;②市场;③自己的法庭以及——至少部分的——自己的法律;④团体的性格及与此相关的;⑤至少得有部分的自律性。由此他便认定“中国历史上从来就没有城市,中国的城市史根本就无从谈起”。关于城市的功能,韦伯则将中国的城市归为“诸侯的居住地”,也就是以行政为主,而军事驻防优先于城市的市场功能。他认为城市由于没有创造财富的能力,因而收入来源主要靠周边的农村交纳地租和国家拨给官员与地方政府的资金。然而,施坚雅并不赞同韦伯关于中国城市的描述,他认为中国城市中的市场非常兴旺,在城市体系和职能中扮演着非常重要的角色。通过实地考察施坚雅发现,在帝国晚期的城市中,经济规模已经非常集中和规模化了。为了进一步论述这一点,施坚雅别开生面地以市场体系和宏观区域作为切入点,对中国城市进行了分级(包括中心都会、地区都会、地区城市、大城市等8个等级),将城市纳入区域宽广的社会经济背景中考察,强调中国城市不单单只有行政职能,而是具有非常强的市场职能,从而有力地挑战了韦伯之前的城市理论。另外,将城市依照区域功能以及在经济职能上的差异划分为8个等级和9个区域,这也打破了以往将城乡隔绝分析的限制。施坚雅认为区分这8个等级城市的标准不应是先进与落后、商业与农业的差别,而是职能与规模的不同。同时他还认为研究中国城市应以结构—功能与冲突—互动论的结合分析,而不是以往的那种简单按照行政划分。

(二)区域理论的发展

区域体系理论是施坚雅基于之前发表的城市体系理论,在对中华帝国晚期城市的研究基础上逐步形成的宏观学说。在空间上,施坚雅采用了中心-边缘理论,并把微观和中观层次上的中心地市场理论和这种宏观的区域理论完美地结合在一个庞大的体系之内,以此来划分中国的区域。而这种划分标准如上文所说,打破了以往简单地以行政职能作为尺度划分中国区域的传统。具体来说，施坚雅依照区域功能将中国划分为九大区域即西北、华北、满洲（指中国东北地区）、长江上游地区、中游地区、下游地区、岭南、云贵地区、东南沿海。即便各个地域之间联系较少，但与以前相比还具有很大的突破。施坚雅认为，由于中国幅员辽阔，政治上的更替并不能决定或者影响其他区域的变动，而王朝一些重要政策的变动所带来的影响也只能是在其行政所在的核心区域以及附近范围。施坚雅将中国整体性的文明史建立在其各个组成部分的有机组合基础上，而这种架构方法也是不同于传统地将王朝与各个地域保持一致发展的方法。

（三）跨学科变化

作为一名人类学家，施坚雅在建构其模式时，并非一味地遵从传统的田野工作。比如当他在四川一个农村进行实地考察时，他没有像其他人类学家那样一五一十地就一些固定的人群或区域为单位作田野工作，而是关注附近的定期集市。通过了解这些流动集市的运作模式以及对农村商业活动的影响，他认为自给自足的农民生活涉及的范围不只是所居住的村庄，而是基层的市场区域，从而得出结论，农民的实际社会区域的边界不是由其所居住的村庄的狭窄范围决定的，而是由他的基层市场区域的边界决定的。因为市场的职能首先是为了满足农民的需求而交换他们的产品，而每个市场周边农村的农民都会有各种需求，有些是在农村里得不到满足的，所以他们的活动范围肯定会延伸到市场。由此可见，施坚雅并没有按照人类学传统的做法，将农村这一独立静态作为单一的研究对象，而将目光投放到了具有流通性质的市场，于是便将人类学研究的对象从静态转到动态的联系上，这无疑是个突破。从中，我们也可以看出施坚雅对于问题的思考不会受制于传统的思维定式，而这种灵活的思想反映在他建构模式的方法上时，便体现在他将人文地理中的数字模型运用在研究人类学和民族学上，并与相关的地理学、历史学等学科知识结合。施坚雅认为，在理论上，每个市场区域应该接近一个六边形，原本理想的市场区域原先应该是圆形的，但随着市场聚拢多了，彼此相互挤压就会变成蜂窝状的六边形，而每个市场区域内会有围绕着集镇的村庄，且按照几何学原则来看，村庄的坐落形状应该是环形，一环有 6 个，二环则由里面 6 个和外环 12 个组成，也就是 18 个，可以依次类推下去，但这些值是一个接近数字。尽管有很多人对于这个模型深表怀疑，但使用数字模型研究和分析社会和历史本身就让人耳目一新，更何况，如果承认模型的可能性并建立模型的话，我们最有可能得到的最优结果就是施坚雅模型。

（四）西方－东方

在施坚雅之前，占据中国研究主导地位的主要是韦伯模式和以“冲击－回应”为特点的费正清理论，二者尽管采取不同的视角和方式建立各自的理论，但其实都带有浓厚的“西方中心论”（West-centered Theory）的色彩，将东方和西方放在互相隔绝的层面上讨论。他们理论的基础层面都认为西方是一个动态的社会，而中国由于制度和文化的原因一直处于停滞状态，而且自身产生不了打破局面的动力，只有受到西方的“冲击”，不断在“回应”中才能改变自己。然而，随着时代的发展，施坚雅则坚持以“中国中心观”（China-centered Approach）为指导，跨越学科的限制，主张从动态的角度进入中国内部区域探索与发现，反对以往一些学者认为中国社会发展是被动、消极的看法。他认识到中国社会内部是极其复杂的，在西方的“冲击”之前，在辽阔的中国各个地区之间，差异一直存在，而西方影响帝国晚期社会的区域也只限于东部沿海，一些中国地区的商业、手工业、交通与居民生活方式甚至比帝国晚期的巴黎还要“现代化”。施坚雅也不像韦伯那样从制度和文化层面分析中国的社会结构，而是以市场为切入点，将中国区域纳入宏观的经济中考察并分级细化，这样有助于从中国的实际出发看待中国的发展情况，而不是笼统地将中国作为单一体进行研究。

四、施坚雅模式中的“不变”

（1）方法论：尽管施坚雅建构了一个在人类学和社会学领域少见的数字模型，并独具匠心地结合许多学科知识来研究中国社会，但是首先，建构模型研究社会并非施氏独创，其本身就脱胎于德国城市地理学家克里斯塔勒的“中心－地理论”，包括其六边形网络。只是施坚雅看到了中国社会复杂的特点，用更精细的目光、更丰富的历史知识构建了一个相对独特、具有创新意义的模型。另外，关于模型的适应性，不管是西方学者还是本土学者都根据实际情况进行调查并对该理论提出了质疑。如施坚雅的学生克里斯曼（L. Crissmman）后来前往中国台湾彰化平原鉴证他的市场体系模式，结果发现理论与实际并不一致。其实这个模型只是基于理想的情况，而并没有加入多少细致的实际考量，就如同施坚雅所说的，“为构成这些模型所作的假设中最根本一点是，所讨论的背景是同一纬度的平原，各种资源在平原上均匀分布”。很显然，实际上找不出符合这种条件的平原。而之前克里斯塔勒的中心－地理说也是理论的图式。关于克氏理论与社会实际之间巨大的差异，就连他自己都宣称：“理论的有效性完全不在于具体的事实怎么样，而是依靠它的逻辑的正确以及判断恰当。”这其中多少有点为自己辩解的成分。

（2）世界观：虽然施坚雅运用的方法和角度发生了变化，但归根结底他仍然是用西方的社会科学和人类学理论来分析中国，对中国的区域进行，如上文克里斯塔勒“中心－地理”及其六边形网络设计，被施氏吸收，因而两者都具有相同的缺陷，导致对中国实际情况考虑的欠缺。不管是施坚雅还是韦伯都是从所谓的理想情况下对中国社会进行探讨，因此施坚雅并没有打破之前韦伯关于“两个世界”的论证观点。此外，施坚雅也没有跳出之前费正清模式下的思维织网，即没有深思以下问题：为什么在考察中国的社会时，偏要用西方的理论呢？为什么非要像韦伯那样将具有独立经济职能的城市定位凌驾于行政职能的城市之上呢？为什么全世界中心地的高级形态必须以韦伯理论中的“自治共同体”出现呢？很显然，关于这些问题，施坚雅如同前者们一直固于西方的理论框架之中。

五、结语

本文从变与不变两条线索初步探索了施坚雅模式，分别从城市理论和区域发展理论等方面分析施坚雅模式中的变化。至于不变的地方，则从施坚雅用于构架理论的方法论和世界观两方面探讨与之前韦伯模式、克里斯塔勒及费正清理论的一些不变之处。我们可以初步看出，施坚雅运用西方社会科学理论并结合一些其他学科的知识点建立理论来分析中国的社会、历史和空间，较之前的各种模式确实有许多突破之处，同时也促使后来的学者从中国内部展开区域研究。但是，就其理论本身而言，还是植根于西方文化的土壤，不免带有西方学术理论的颜色和传统，也没有跳出西方的思维模式，更别说从中国具体实际出发，创造出适宜中国实际情况的理论，从而讲述出饱满、鲜活的中国了。但反过来，在我们研究汉学家时，可以从这个角度切入来研究西方的思想文化史。同时，在汉学海外传播的过程中，西方汉学家扮演着十分重要的作用，所以很有必要对这些汉学家认真分析和整理，据此不仅能了解西方社会对中国的看法（可以使中西方对话与交流更为顺利通畅），而且更能深入地了解中国社会文化本身的特色。

参考文献

[1] 张西平. 西方汉学十六讲 [M]. 北京：外语教育与研究出版社，2011.

[2] 柯文. 在中国发现历史：中国中心观在美国的兴起 [M]. 林同奇，译. 北京：社会科学文献出版社，2017.

[3] 马克斯·韦伯. 非正当性的支配——城市的类型学 [M]. 康乐,简惠美,译. 桂林:广西师范大学出版社,2005.
[4] 刘招成. 美国中国学研究——以施坚雅模式社会科学化取向为中心的考察 [M]. 上海:上海人民出版社,2009.
[5] 陈倩. 从韦伯到施坚雅的中国城市研究 [J]. 重庆大学学报(社会科学版),2007(1):100-104.
[6] 才佳兴. 美国汉学研究中的施坚雅模式 [J]. 赤峰学院学报(汉文哲学社会版),2012(12):75-77.
[7] 龙登高. 别具一格的施坚雅模式:传统中国的社会经济结构 [J]. 思想战线,1993(3):35-40.
[8] 施坚雅. 中国农村的市场和社会结构 [M]. 史建云,徐秀丽,译. 北京:中国社会科学出版社,1998.
[9] 朱文珊. 探讨施坚雅理论的问题和启示:重读《中华帝国晚期的城市》[J]. 社科纵横,2018(5):96-99.
[10] 施坚雅. 两个世界之间的中国城市 [M]. 加利福尼亚:斯坦福大学出版社,1974.

傅汉思中国诗歌研究的新视角

摘要:傅汉思(Hans Hermannt Frankel)先生是20世纪美国著名的汉学家,他开创性地将量化统计的方法运用到中国古诗歌赋研究中,对后西方汉学研究产生了深远的影响。他的研究基于其深厚的欧洲古典语言文学的学术基础,并用独特的视角来研究人们耳熟能详的古诗。他中西兼通、旁征博引,善于使用量化统计的方法,同时强调了文学研究的艺术性。

关键词:汉学家;傅汉思;中国诗歌汉赋研究

一、傅汉思简介

傅汉思(Hans Hermannt Frankel,1916 — 2003)是犹太裔美国人,20世纪著名汉学家。1916年出生于德国柏林的一个古典文学世家,其祖父和父亲都是著名的希腊语文学家。傅汉思19岁举家搬迁至美国,并在斯坦福大学获古典语言文学学士学位,后于加州大学伯克利分校获西班牙语硕士学位和罗曼语博士学位。但此后傅汉思却没有继续西班牙文学方向的研究,而是在机缘巧合之下选择了中国古典文学作为研究对象。

傅汉思对中国的深入研究起始于20世纪50年代。他的研究领域主要集中在中国文学和中国古典诗歌上。他开创性地将西方古典文学和罗曼语文学引入汉学研究,以西方学者独特的视角以及严谨的治学态度来分析中国的诗歌,他的译本和文学评述展示出其很深的造诣。傅汉思的代表作有《孟浩然传》《中国王朝史译文目录》《梅花与宫闱佳丽》等。本文按照时间顺序,以傅汉思3个不同时期的代表作来介绍他中国古诗词的研究。

二、《孟浩然传》——汉学研究的开端

在1947年来华之前,傅汉思主要的研究方向为文艺复兴时期的西班牙语文学。第二次世界大战结束后,他受胡适之邀首次来到中国,并在北京大学担任西班牙语系主任,教授拉丁文、德文和西洋文学。在北大任职的这段时间,傅汉思得

以与冯至、沈从文等中国文坛巨匠交往。在沈从文家中，傅汉思结识了未来的妻子、“合肥四姐妹”之一的才女张充和。在她的影响之下，傅汉思开始研读沈从文等人的著作并逐渐对中国文化与诗歌产生了兴趣。但此时，傅汉思还未将之作为终生的研究对象。

1949 年傅汉思返美，回到加州大学伯克利分校任教。出于对中国文化的兴趣并在中国妻子的影响下，傅汉思最终决定将他主要的研究方向改为汉学。他早期的成果之一便是于 1952 年翻译出版了《孟浩然传》。该书根据《新唐书》中的传记以及中国十六正史中提取的目录编写而成，并收录在加州大学《中国正史译文》的章节中。虽然只有薄薄的 25 页，却开美国研究中国诗歌之先河。在此之前，由于语言的障碍等问题，中国诗在美国是鲜有人触及的领域。

这一时期，傅汉思也开始对中国古诗和绘画领域研究进行了尝试，他发表了名为《中国诗歌中的“我”》(*The “I” in Chinese Lyric Poetry*)以及《诗歌和绘画：中西方诗歌和绘画关系综述》(*Poetry and Painting*: *Chinese and Western Views of Their Convertibility*)的论文。

三、《孔雀东南飞》——旁征博引，深入浅出

20 世纪 60 年代后，傅汉思从中国历史逐渐转向了汉语言文学、汉赋乐府的研究。其间，傅汉思发表了论文《曹植的十五首诗歌》《中国民歌〈孔雀东南飞〉中的习语分析》等。傅汉思在中国诗歌研究中所引用的文献不仅包括中国学者的研究文献，也包括用日语、英语写作的相关文献。如在论述《孔雀东南飞》习语问题时，他参考了该诗的日文、法文、德文等译文。他常在世界文学范围内搜寻例证，如他在论述《孔雀东南飞》中的年轻人的爱情和长辈的冲突这一世界范围问题时，引入英语文学作品作为例证。

《中国民歌〈孔雀东南飞〉中的习语分析》一文对《孔雀东南飞》全诗进行了逐句解析，并总结了几个特征：全诗节奏紧凑，叙事与对话相结合以及第一人称和第三人称叙述相互转化等。这样，读者可以对诗歌的细节和主题背景都有很好的了解。

20 世纪 70 年代，傅汉思出版了《梅花与宫闱佳丽》。这一作品的问世，标志着他在中国诗歌领域的研究达到了高峰。这本书选取了诗经到散曲的 106 首诗词歌赋并逐一加以翻译和分析。他将之前对于罗曼语言的了解带入了对汉学的研究，并开创性地将西方叙事诗中母题的概念引入中国汉赋乐府(母题是叙事作

品中结合得非常紧密的最小事件,持续存在于传统中,能引起人们的多种联想,它是一个完整的故事,本身能独立存在,也能与其他的故事结合在一起,生出新的故事)。此书的章节并非按照朝代顺序排列,而是根据西方叙事诗中母题的概念,把诗歌分为"人与自然""拟人化""处于和他们关系之中的人""回忆与反思""爱情诗""孤独的女子""叙事歌谣""离别""对历史的思考""往昔:传说与讽刺""平行与对偶""特殊的平行现象"等不同主题加以叙述。在这部作品中,他经常将中国诗歌同西方诗歌特别是西班牙和德国诗歌作比较研究。

在《梅花与宫闱佳丽》这本著作中,傅汉思特别强调了人与自然的关系并把这一主题贯穿于整本书中。他在书中开篇把梅花与佳丽在意象上联系起来,到书中最后对《文选》中一篇赋中自然景物与人物在意象上的联系进行分析。

傅汉思研究中国古典文学,不仅借鉴他人的视角,也有采用了科学的方法。《梅花与宫闱佳丽》全书所选择的106首诗歌或辞赋大多用数字进行标明,将诗歌或者散曲分节分行,分行多以4行为单位进行标注。所以在论述该诗歌的时候,能够将观点和数字一一对应。这种量化的分析方法在当时中国学术界从未有过,这正是傅汉思所代表的西方学者的学术严谨性的体现。

此书的问世引起了美国学术界的广泛关注和一致好评。耶鲁大学的孙康宜教授就曾评价他的杰出在于"将西方文学中的相关理论与汉学研究相结合",她还认为《梅花与宫闱佳丽》一书已成为西方研究中国诗歌语言的标准教材。著名汉学家史景迁评价道:"傅汉思在中国传统研究上有很深的造诣,但同时也对西方文学有着惊人的理解力。"

1998年,他翻译过的《木兰诗》英文被迪士尼动画电影《花木兰》选用为官方译文。傅汉思一生获奖无数,荣誉等身。同时他还担任过汉堡大学、波恩大学与哥伦比亚大学的客座教授,慕尼黑大学的傅尔布莱特客座教授(Fulbright Lecturer)。历史学家史景迁、汉学家宇文所安、康达维都曾是傅汉思的学生。

傅汉思先生的古诗研究方法在现在看起来也是别具一格的。不仅因为其具有欧洲古典语言文学的学术基础,还在于其用独特的视角来考量我们耳熟能详的古诗。他中西兼通、旁征博引,既采用量化统计的方法,又强调文学的艺术性。傅汉思把母题原型这一西方古典和罗曼语文学概念引入汉学研究,是他对中国古诗研究的特殊贡献,曾得到他的学生、现执教哈佛的宇文所安(Stephen Owen)教授的特别承认。他所开辟的这种中西古典文学的沟通研究对当代西方汉学的影响是深刻的,对中国学者也有很大的启发意义。

五、结语

傅汉思有着深厚的东方古典文化功底,又具备西方学者严谨的治学态度。此外,他在中国古诗研究中经常运用量化统计的方法以取得结论,并且强调文学的艺术性特征,这些更值得重视借鉴。尤其是把母题原型这一西方古典和罗曼语文学概念引入汉学研究这一创新方法,是他对中国古诗研究的特殊贡献。他所开创的这种中西古典文学的沟通研究对当代西方汉学的影响是深刻的,对中国学者也是富有启发意义的。他对曹植和蔡琰诗歌的研究,在某种程度上代表了北美学界在这两个问题上的最高水准。在其逝世时,耶鲁大学在讣告中评价他"对中国文化、中国文学(特别是诗歌)以及汉语的研究为人所熟知"。

除了文学研究与分析方面,他在中国诗歌的翻译与普及方面也作出了重要的贡献。比如他翻译了《木兰诗》的英文译本,该译本被用作 1998 年迪士尼动画电影《花木兰》的官方译文。尤其是在 20 世纪 50 年代到 70 年中美关系紧张的时期,在获取中国研究的古籍、报刊相当困难的情况下,他的成就显得更加可贵。

参考文献

[1] 廖忠扬,傅汉思:一个时代的符号 [J]. 华文文学评论,2016(00):326-334.
[2] 宋燕鹏,王立. 美国汉学家傅汉思先生的古诗研究 [J]. 中国韵文学刊, 2013(3):8-15.
[3] 刘皓明. 从夕土到旦邦——纪念傅汉思教授 [J]. 读书,2004(9):49-55.

韩南和他的中国古典文学研究

摘要:美国的中国古典文学研究经过“汉学”时期草创以及20世纪60年代和70年代的转型发展到现在,成就非常突出,已经代表了西方学术界对这一领域研究的最高水平。美国的中国古典文学研究涉及面较宽,格局较开阔,方法也较多元,在不少方面都有值得借鉴之处,出现了不少有成就的学者,韩南(Patrick Hanan)教授就是其中的代表之一。他运用西方文学理论对中国古典文学进行研究,他的求索精神和治学态度亦值得我们学习。

关键词:韩南;中国古典文学;西方文学理论

一、韩南简介

韩南(Patrick Hanan, 1927—2014),原籍新西兰, 1949年在新西兰修完本科后,研究英国文学并获硕士学位,然后来到英国,准备在伦敦大学攻读博士学位,研究英国中古历史传奇小说。可是,就在修完了博士课程、将要动笔写论文的时候,他读到了一些中国文学的翻译。这些充满奇异情调的作品,引起了他极大的兴趣,以至于他决定重新上大学,从头学习中国古代文学。于是1953年,他在伦敦大学又拿到一个学士学位,并在毕业后考进伦敦大学的亚非学院攻读博士学位,撰写了有关《金瓶梅》研究的文章。之后,他开始了长达40年对中国古典文学的研究,主要著作有:《中国早期的短篇小说:一个批评理论纲要》(*The Early Chinese Short Story: A Critical Theory in Outline*)、《〈蒋兴哥重会珍珠衫〉和〈杜十娘怒沉百宝箱〉撰述考》(*The Making of the Pearl-Sewn Shirt and The Courtesan's Jewel Box*)、《中国的短篇小说:关于年代、作者和撰述问题的研究》(*The Chinese Short Story: Studies in Dating, Authorship, and Composition*)、《鲁迅小说的技巧》(*The Technique of Lu Hsun's Fiction*)、《韩南中国古典小说论集》、《中国白话小说史》(*The Chinese Vernacular Story*)、《李渔的创作》(*The Invention of Li Yu*)。

二、韩南的中国古典文学研究

第一，对中国白话小说的研究。中国的白话小说，主要是话本小说的，断代问题困扰着一代又一代的学者。比如《警世通言》中的《拗相公饮恨半山堂》一篇，到底写于何时，学界对此纷争不已。有些学者根据这篇小说中有些东西见于宋代的野史，就判断它是宋代的作品，然而韩南认为不能这么简单地认定，因为并不是只有宋人才能用宋代野史中的材料。可是，如果没有非常可靠的断代根据，无法作这方面的工作，难以进行历史的描述。怎样断代呢？韩南提出了他的"风格"学说。所谓风格，就是一种写作习惯或写作程式，最明显的例子是作家处理对话的习惯。和世界上其他地方的小说相比，中国小说充满了对话，而且对话处理得较为成功。在中国进入现代社会以前，书面文学中还没有使用引号，所以表示对话的开始和结束都有其特殊的方式。从这些不同的方式中，可以看出不同时代的不同处理方法。这样看来，风格并不是什么笼统的印象，而是非常具体的东西。当然，学术研究是一种可能性的研究，在背景材料非常缺乏的情况下研究作者，往往也只能提出一种可能性而已，而有些东西也许到最后仍然无法得到证实。但按照这种方法加以细致分析的结果，确实看到了在不同时期自然形成的一组一组的短篇小说，都有着某种类似的特征，并且可以加以验证。韩南还更进一步把中国白话小说放入世界叙事文学的传统中加以讨论。他认为，模仿说书人向听众说话，是世界各民族白话文学早期阶段共同存在的现象，但以贯之坚持这种做法的是只有中国白话小说。

第二，对清初作家李渔的研究。以往学界对李渔往往比较注意其戏曲理论，顶多再加上他的戏曲创作，总的来说不够重视李渔。但韩南却认为，李渔是一个重要的小说家，在中国所有的小说家中，唯有李渔有完整的别集传世，他留下的材料比曹雪芹、吴敬梓等人都多，涉及许多不同领域，是在中国文学史中难得一见的可以进行总体研究的、有成就的作家。另外，在李渔的所有作品中，有着某种比较一致的特点，由此体现出他的创作个性，即无论在小说、戏剧，还是在其他文章里，他都尽量使他个人的风格凸显出来，而不愿意仅仅处于一种客观描写的位置，而他个人的风格，又充满幽默、机智，富有喜剧性，使人联想起英美文学中的王尔德和萧伯纳。作为受过英国文学训练的人，作为有着西方文学背景的人，韩南对李渔那种个人化的机智特别感兴趣。他觉得在其他作家身上缺少这种东西，或者说没有适当地表现在作品中，这在中国文学中值得注意。

第三，对中国 19 世纪小说尤其是晚清言情小说的研究。关于这一时期的小说研究，虽然经常成为热点，但过去学者们主要关注了谴责小说，几乎完全忽略了言情小说。韩南是通过对“新小说”的梳理研究来切入这一课题的。“新小说”是梁启超在 1905 年提出的概念，但“新小说”的创作本身，却不是由于梁启超的提倡才开始的，在此之前已有实践，梁启超不过是敏感地抓住了这种倾向加以倡导而已。韩南对“新小说”的研究从探讨《恨海》《禽海石》和《黄金祟》等开始，论述了这一倾向开始出现时的诸因素及其主要特征，揭示了与后来有关作品发展的关系，同时，更通过对《风月梦》的个案研究，进一步说明“新小说”的特点。在韩南看来，《风月梦》是较早体现出“新小说”基本特征的作品，它不完全是言情小说，虽然可以归之于鲁迅所谓的“狎邪小说”，但有很强的写实性，而几乎完全不写性。从某种意义上来说，《风月梦》是中国第一部城市小说，它所描写的几乎全部是扬州以及活跃其中的文人。它的出现，和扬州的通俗文化是有关系的，而联系到后来的《海上花列传》，又可以探讨上海文化和扬州文化之间的关系。在中国的通俗文化中，青楼文化是一个非常重要的方面。在明代，青楼文化在南京非常发达，到了清代，扬州的经济由于出现了大批盐商空前兴盛，文化风向也随之有所转移。在《风月梦》结束的部分，有一个很有意思的现象，即作为主人公的那个妓女从扬州搬到了上海，这是在 1900 年前后的事，那么，在世纪转折之际，这一件小事，是否标志着通俗文化的中心由扬州转到了上海呢？韩南的这一看法非常重要，其由特殊上升到一般的方法也值得我们借鉴。

三、韩南的治学态度

通过介绍韩南治学的几个方面可以看出，作为一个在异质文化中成长起来的学者，他的治学有两点值得注意。

第一点是他的考证功夫。他的许多著作基本上是基于考证，这似乎和人们通常的期待心理不同。因为长时间以来，提到西方学者，人们通常的印象是他们往往能在理论的分析上异军突起，而不怎么作考证，似乎考证是中国的传统，而分析是西方的特长。这其实是一种误解，因为考证同样是西方学术传统的一部分，尤其是研究西方中世纪的文学时，要大量阅读，精密分析，训练非常严格，从某种意义上也可称之为考据式的训练。韩南大学本科和硕士研究生阶段都在研究西方文学，尤其是西方中世纪文学，他选择这种方法，可以说是他的学术背景一个合乎情理的体现。我们现在来检验他的成果，发现有一个非常重要的特点，就是他所选择的课题,往往都是他经过仔细爬梳,从大量第一手资料中得来的,许多文献正是由于他的发现和使用,才开始为学术界所知。如探讨《醒世恒言》中《李道人独步云门》一篇的渊源时,韩南从版本到内容和艺术,详细考察了明代的说唱文学《云门传》,指出这篇作品是韵散结合,而散文部分特点明确,叙述也特别动人,尤其是在叙事技巧上,讲故事时设想有听众在场,而结束时则有类似预告的交代,这使得它在许多方面都类似明代的通俗演义。通过对比,韩南指出,《李道人独步云门》正是从《云门传》发展而来的。又如明代戏曲选集《乐府红珊》,他指出这部书的内容是戏曲而不是陶真,而且其中有不少种戏曲是孤本。这一发现不仅使得许多长期湮没的材料得以重见天日,而且对中国戏曲史尤其是明代戏曲史的研究作出了重要的贡献。

第二点是他运用西方文学理论对中国古典小说进行研究。所谓西方文学理论,主要是叙事学的研究方法。韩南在《中国白话小说史》一书里,借鉴包括弗莱在内的卢伯克(Percy Lubbock)、英加登(Roman Ingarden)、巴特思(Roland Barthes)和布思(Wayne C .Booth)诸人的理论,建构了自己的分析学纲要,即说话者层次、焦点层次、谈话形式、风格层次、意义层次和语音层次。韩南有意识地调和各家学说来建立自己的叙事学体系,在中国古典小说理论中是一个创举,但他并没有完全照搬西方文学理论,而是根据中国古典小说的实际情况作了应有的调整,得出以下结论:第一,在中国古典小说中,情节单一之作的主人公不具有悲剧主角的意义,他们总是处在低模仿或反讽等级上;第二,在情节单一的作品中,灵怪小说中的主人公通常是软弱的凡人,所以也是低模仿型,而才子小说的主角则处于较高的模仿等级;第三,在此基础上,韩南对《金瓶梅》评价很高,它虽然也运用了单一情节,但首次在中国古典小说中解决了整体和部分之间的矛盾,它的主要人物来自《水浒》,但大于生活的人物被删除,而其他一些人物则从反讽型上升到低模仿型,从而开创了中国小说的一个新纪元。韩南认为,一般人作小说研究,往往喜欢用几个特定的词汇加以分析,如布局、情节、人物、结构等,这当然也可以,但却略嫌含混,不容易进一步发展。而如果采取以上比较细致的层次划分,就使得对文本的分析有了具体的凭借,进而可以更加接近历史发展的准确性。尤其在作品的作者和时间都不大确定的时候,给出一个特定的空间,就比较容易展开分析。

四、结语

作为20世纪西方汉学研究的重要成果之一，韩南对中国古典小说的研究至少在两个方面具有启发意义。第一，对西方学者来说，完全脱离时代和背景，仅仅对文本进行研究，有时能够提供很好的见解，有时则显得隔了一层，因此在中国这个有着“知人论世”传统的国家里，研究中国的文献，不可忽视考据的功夫。第二，对中国学者来说，应该更进一步地介入多元文化的格局，在发扬传统研究方法优点的同时，应适当借鉴西方文学的研究方法，换一种角度来考察，也许会有意外的发现。现在，中国和世界已密不可分，在多元的世界文学格局中，中国文学理论界应该有新的创获。为了实现这一目标，把中国古典文学创作和理论与西方文学理论相结合，应该是一条值得借鉴的路径。韩南对中国古典小说的研究，即可以给我们这种启示。

参考文献：

[1] 韩南. 创造李渔 [M]. 杨光辉，译. 上海：上海教育出版社，2010.

[2] 张宏生. 哈佛大学 东亚语言与文明系韩南教授访问记 [J]. 文学遗产，1998（3）：110-116.

葛浩文与中国文化走出去

摘要：翻译高质量的文学作品并传播到海外，是文化"走出去"最直接最有效的途径之一，美国文学翻译家（Howard Goldblatt）葛浩文翻译了 50 多部中国现当代的文学作品，使中国的文学作品与文化在世界范围内得到了广泛的认可，在文化"走出去"的过程中起到了不可替代的作用。其中，以《呼兰河传》为例，这部作品含有大量的东北方言和谚语，葛浩文的译本将这部作品推介到了国外，并得到了广泛的认可，他所采用的翻译方法，对中国文学的外译以及方言和民谚的翻译有很大的借鉴作用。

关键词：文化"走出去"；翻译；葛浩文；《呼兰河传》葛浩文的译本

一、葛浩文简介

葛浩文（Howard Goldblatt），1939 年出生于美国，曾任教于科罗拉多大学波德分校（University of Colorado Boulder）。1974 年，葛浩文在完成了以萧红为题的博士毕业论文的基础上撰写了《萧红评传》（*Hsiao Hung*）。随后，1979 年《萧红评传》的中文译本在中国香港出版，于 1980 年在中国台湾再版。由此，由于时代的局限性而饱受诟病的天才女作家萧红，在新的时代得到了认可，在这一过程中，葛浩文的作用功不可没，此外，在翻译萧红的《呼兰河传》（*Tales of Hulan River*）的众多译者中，葛浩文也是最成功的一位。四川外国语大学博士生导师胡安江指出，像葛浩文那样兼具中文天赋、中国经历、中国情谊以及中学底蕴的汉学家是理想的译者模式。

让葛浩文名声大噪、走向翻译事业高峰的契机，是莫言的《红高粱》。葛浩文将《红高粱》（*Red Sorghum*）翻译成英语，瑞典籍翻译家陈安娜把《红高粱》翻译成了瑞典语。在莫言获得 2012 年的诺贝尔文学奖后，作为其英文译者的葛浩文不可避免地成为译介的焦点。葛浩文翻译的转变是对《狼图腾》（*Wolf Totem*）的翻译。《狼图腾》自出版后在中国总计发行 240 万册，突破了历史销售纪录，成为一种文化现象。企鹅出版集团（*Penguin Group*）买断了《狼图腾》英文版权后，决定在 110 个国家和地区发行《狼图腾》的 3 个英文译本：覆盖北美和拉美地区的美国版、覆盖整个欧洲地区的英国版和覆盖亚太地区的澳洲版。3 个版本的翻译均交由葛浩文来完成。至此,葛浩文的翻译从现代转向了当代,陆续翻译了 50 多部中国现代和当代的小说。

二、葛浩文文学翻译——以《呼兰河传》为例

《呼兰河传》是萧红的代表作,葛浩文的译本不仅将这部作品推介到了国外,而且使这部因为超越时代审美而被当时的文人诟病的作品重新回到中国人的视野,并得到了广泛的认可。

葛浩文对中国怀有深厚的情谊,具有多年的中国生活经历和深厚的汉学底蕴,因此具有几乎无人可及的双语和双文化能力,是最优秀的中国文学译者。他在翻译中国文学作品时,能够准确地理解方言和民谚,并且运用各种翻译方法对其进行灵活处理。方言的俗称是地方话,虽然只通行于局部地域,但不是独立在民族语言之外的另一种语言,而是因地域和社会生活方面的不同而形成的语言变体。我国幅员辽阔,方言的种类众多,有“五方之民,言语不通,嗜欲不同”之说。《呼兰河传》中有着大量体现地方民俗的方言词汇和民谚,如跳大神、东二道街的大泥坑子、放河灯、唱秧歌、扎彩铺、火烧云以及四月十八娘娘庙大会等。民俗是文化的重要组成部分,代表着不同民俗的方言谚语彼此之间差异巨大,给异域读者造成了理解上的困难。因此,译者在翻译过程中,就必须注意对原语的准确理解和把握,在真实地传递他族的民俗文化的同时,兼顾译文作品的可读性,让译文读者能够认识到真正的他族民俗文化,推动中国文化“走出去”。葛浩文认为:“译作具有可读性是忠实于原著的表现,也就是说,如果翻译的作品可读性很低或者缺乏可读性的话,那就是不忠于原作。”

(1)意译。《呼兰河传》有这样一个东北方言——“妨”,指给某个人带来厄运,体现了浓郁的中国文化色彩。英语语汇中没有对等的概念词汇,省略不翻译就会造成中国文化因素的流失,音译等方法又会造成外国读者理解上的巨大偏差。所以对于这样的包含中国民俗文化的语汇,葛浩文大多都是采取意译法。原文的“说她把嫁给谁家就把谁给‘妨’穷了,又不嫁了”。葛浩文的译文是“People will say that she ‘brought injury’ to so-and-so’s family, and then would not marry into it”。把“妨穷了”意译成“brought injury”,既简洁,又清晰。

(2)创词。带有地方文化特色的地名以及服饰、生活物品等,在英语语汇中很难找到对应的词汇,音译会给外国读者造成困惑。例如呼兰河,葛浩文翻译成

Hulan River。就是利用了创词法,创造出新的复合词。再例如冯歪嘴子,如果翻译成 Feng-waizuizi,就失去了原文的民俗文化因素。对于这样的方言词汇,葛浩文同样采取了创词法:如,将冯歪嘴子译成 Harelip Feng,将小团圆媳妇译成 The Little Child Bride,将王大姐译成 Big Sister Wang,将有二伯译成 Second Uncle You。

(3)注释。方言具有随意性以及口语化特征,因此决定了译者在翻译的过程中,必须首先结合原文语境才能充分、准确地理解方言的含义,然后在必要的地方采取注释的方式进行适当处理。"考状元"这个概念对于中国人来说是一个再熟悉不过的概念,但对于国外的读者来说就是一个绝对陌生的词汇,所以葛浩文采取了音译加注释的方法,翻译成"become a chuangyuan, first on the list at the official examinations"。在这里,葛浩文充分利用英语同位语的注释功能,既保留了原文"状元"这个词汇,将其音译成"chuangyuan",又翻译出了状元的真正含义,即"官方考试第一名"。

(4)借用目的语的俗语。"死马当作活马医"这样一个谚语,如果直译成"heal the dead horse as if it was a living horse",就会让外国读者感到莫名其妙。在原文中,这个谚语的意思是指某件事本来已经希望非常渺茫,但是人们总会采取各种方式去努力改变局面。对于这类民俗语义含量不大的谚语,为了传达原文的含义而又不造成理解的困难,葛浩文采用了借用目的语俗语的方法,将这句话翻成"Because where there's life, there's hope"。译文既方便了目的语读者的理解,又同时体现了中国人对待困难时不屈不挠的精神。

三、葛浩文与中国文化走出去

在中国文化走出去的过程中,葛浩文的作用主要体现在 3 个方面:①促使中国现当代文学与文化在世界范围内得到广泛的认可;②对中国地方性的民俗与文化的推介,尤其是对东北文学与民俗文化的推介;③丰富了中文英译的理论和实践。

促使中国现当代文学与文化在世界范围内得到广泛的认可。在《纽约客》(*The New Yorker*)杂志上,美国作家约翰·厄普代克(John Updike)这样写道:"在美国,中国当代小说翻译差不多成了一个人的天下,这个人就是葛浩文。(In the United States, China's contemporary fiction translation almost became Howard Goldblatt's own world.)"葛浩文翻译的作品涉及很多作家,包括萧红、陈若曦、冯骥才等 20 多位，是公认的中国现代、当代文学之首席翻译家。他的译作不仅数量可观，而且在译文质量上也是无可挑剔的，曾经多次获奖，提高了中国现当代作家作品在世界文学领域里的知名度。他与夫人林丽君合作翻译的中国台湾著名女作家朱天文的小说《荒人手记》获美国翻译协会（American Translators Association）1999 年年度奖，独立翻译的贾平凹“商周系列”第一部、长篇小说《浮躁》，获美孚飞马（*Mobil Pegasus Prize for Literature*）1989 年的文学奖，当代作家毕飞宇的小说《青衣》入选英国独立报外国小说奖候选名单，姜戎的《狼图腾》英译本在中国香港国际文学节上获得 2007 年年度文学奖。曾任中国社会科学院中国文学研究所所长的刘再复说：“葛先生堪称是把中国现、当代文学翻译成英文的翻译家中最积极、最有成就的一位，是中国文学的知音和积极传播者。”

对中国地方性的民俗与文化的推介，尤其是对东北文学与民俗文化的推介。东北这片广袤的土地孕育了一个特殊的作家群体——东北作家群，包括舒群、萧军、萧红等。这些作家的作品中充斥着大量的地方话，即方言。方言是因地域和社会生活方面的不同而形成的语言变体，只通行于局部地域，是地方性民俗的主要载体。但是，代表着不同民俗的方言彼此之间差异巨大，给异域读者造成了理解上的困难。因此，译者在翻译过程中，就必须注意对原语准确理解和把握，在真实地传递他族的民俗文化的同时，兼顾译文作品的可读性，让译文读者能够认识到真正的他族民俗文化。在葛浩文所翻译的作品中，绝大多数都是体现东北文学与民俗文化的乡土文学类作品，如我们熟悉的《呼兰河传》《红高粱》和《狼图腾》等。葛浩文的翻译保证了原著文化内涵的完整性，让世界的多民族殿堂上，中华民族的形象因具有了东北地域性特征的分支而更加立体和完整。

丰富了中文英译的理论和实践。葛浩文除了翻译中国近现代作家的作品以外，还根据自己的翻译实践，撰写了大量有关文学评论和翻译理论的文章。他的翻译理论和原则归纳起来共有两点。第一，保证原语文化体系的相对独立性，才能让翻译工作起到文化交流的作用。他曾撰文严厉批评英国翻译家韦利的翻译原则，指出一味讨好目的语读者，用熟悉的语汇替换陌生概念，消解原文中的异质因素，就无法在不同文化之间搭建起桥梁，从而促进不同文化群体的文化交流。第二，翻译活动是忠实性与创造性的统一，必须准确而辩证地把握两者之间的尺度。所谓“忠实”，并非逐字逐句地翻译，而是要运用创造手段，更好地忠实于原作；所谓的“创造”，不是天马行空式的乱译，而必须要以原文为依据。葛浩文的翻译理论不多，但是对于从事中文外译的工作者来说，却是不可多得的指导方法，具有实践上的指导作用。

四、结语

“汉学家”担负着让中国文化走出去的神圣使命,“文化走出去”是一项长期而艰难的工作,其中,方言和谚语的翻译是这项工作的最大难点。葛浩文翻译的50多部中国现当代小说已经为广大的英语读者所接受,他的方法常常是不拘一格的,在翻译过程中注意到了原语和译语之间文化功能的对等,以《呼兰河传》译本为例,我们总结出葛浩文先生在翻译过程中主要运用了以下4种方法:意译、创词、注释和借用目的语的俗语,真实地传递了中华民族特有的民俗和文化,使译文读者能够获得近似于原文读者的感受。在中国文化走出去的过程中,汉学家葛浩文不断促使中国现当代文学与文化在世界范围内得到广泛的认可,推介中国地方性的民俗与文化尤其是东北文学与民俗文化,以及对中文英译的理论和实践的丰富,葛浩文的翻译工作还在继续着,他对于中国文化“走出去”的推动作用亦将会是不可估量的。

参考文献

[1] 韩子满. 中国文学的“走出去”与“送出去”[J]. 外国语文,2016(3):101-108.
[2] 刘红华. 中国文学外译模式考 [J]. 湖南工业大学学报:社会科学版,2017(3):8-12.
[3] 黄忠廉. 方言翻译转换机制 [J]. 北京理工大学学报:社会科学版,2012(2):144-147,151.
[4] 刘再复. 百年诺贝尔文学奖和中国作家的缺席 [J]. 北京文学,1999(8):6-29.
[5] 张晔. 王岩. 民俗翻译研究综述 [J]. 兰州教育学院学报,2015(9):160-161.
[6] 靳秀莹. 葛浩文译学见解初探 [J]. 重庆交通大学学报(社会科学版),2009(1):121-123.
[7] 杨柳. 从文化翻译观角度看民俗的翻译:以《呼兰河传》的英译本为例 [J]. 科技信息,2012(22):157.